Die Jahre um die Jahrhundertwende, die Zeit der Hausmusik und der Revuen, der Varietés und der auch vom Mann auf der Straße gesungenen Operetten-Schlager, brachten auch eine Vielzahl graphisch reizvoll gestalteter Notenhefte hervor. Beeinflußt vom Jugendstil, wurden die Titelblätter von bekannten Graphikern wie Eugène Grasset, Max Klinger, Fritz Erler oder Paul Telemann entworfen.

Udo Andersohn hat 64 der interessantesten Musiktitel ausgesucht und erläutert. Ein Nachwort und ein dreigeteiltes Register vervollständigen den Band.

Udo Andersohn

Musiktitel
aus dem Jugendstil

64 Beispiele aus den Jahren
1886 bis 1918

Harenberg

Die bibliophilen Taschenbücher Nr. 250
© Harenberg Kommunikation, Dortmund 1981
Alle Rechte vorbehalten
Gesamtherstellung: Druckerei Hitzegrad, Dortmund
Printed in Germany

Inhalt

Einleitung
Seite 7

Die Tafeln
Seite 9

Nachwort
Seite 139

Register
Seite 148

Einleitung

Für diese Dokumentation wurden 64 Titelblätter von Notenheften mit Stücken der ernsten Musik und der Unterhaltungsmusik nach graphischen Gesichtspunkten ausgewählt, wobei darauf geachtet wurde, in erster Linie die Titel solcher Musikstücke abzubilden, die noch heute einen gewissen Bekanntheitsgrad besitzen. Die in eine annähernd chronologische Folge gebrachten Blätter sind zwischen 1885 und dem Ende des Ersten Weltkriegs entstanden, d. h. in einer künstlerischen Epoche, die als «Jugendstil» bezeichnet wird (wobei die Abgrenzung dieser vom Symbolismus mit impressionistischen Einflüssen bis zum Expressionismus reichenden Stilrichtung schwerfällt).

Eine eigenständige Disziplin innerhalb der bildenden Kunst hat der Jugendstil indessen mit Gewißheit hervorgebracht: die Gebrauchsgraphik. Einmündend in die populäre Reklamegraphik, durchdringen sich in ihr künstlerischer Anspruch und kommerzielle Zielsetzungen. Von Aufgaben und Techniken der Gebrauchsgraphik wird entsprechend ihrer Bedeutung für die gesamte Entwicklung im Nachwort, aber auch in den Erläuterungen zu einzelnen Titelblättern die Rede sein.

Die abgebildeten Notentitel sind in aller Regel Erstausgaben. Das Entstehungsdatum ist vom jeweiligen Copyright-Vermerk abgeleitet worden. Wo die Künstlerbezeichnung datiert ist, entspricht diese Jahreszahl gewöhnlich der im Copyright-Vermerk genannten; auf Abweichungen wird in den Angaben zu den einzelnen Titeln aufmerksam gemacht. Das in Copyright-Vermerk oder Künstlerbezeichnung eines Notenheftes genannte Jahr ist in der Regel auch das Jahr des Erscheinens im Musikalienhandel oder geht diesem unmittelbar voraus.

Bildträger ist mit wenigen Ausnahmen weißes Papier. Auf Maßangaben wurde verzichtet, da um 1900 fast alle Hefte im Quartformat, 34 cm hoch und 27 cm breit, erschienen. Geringe Abweichungen davon sind in erster Linie auf den Beschnitt zurückzuführen, der durch nachträgliches Aufbinden zu Sammelalben entstand.

Die Farbangaben beziehen sich auf übliche Künstlerfarbenbezeichnungen, weil Litho-Druckereien seinerzeit durchweg selbsterzeugte Farbmischungen verwendeten, die mit den heutigen Druckfarben und standardisierten Farbverfahren nicht mehr zu vergleichen sind.

Ein Großteil der Titelblätter ist vom Künstler bezeichnet. Von vielen Graphikern, die in diesem Buch vertreten sind – teilweise mit mehreren Notentiteln – sind nicht jedoch einmal die Lebensdaten bekannt.

Die Bezeichnungen der Künstler, die sich meist am unteren Rand des Titelblattes befinden, lassen in manchen Fällen erkennen, inwieweit der Graphiker selbst am lithographischen Druckvorgang beteiligt war. Die Möglichkeiten, die von den Druckereien geboten wurden, waren unterschiedlich und hingen von der handwerklichen Arbeitsteilung des Betriebes ab. Technische Hilfen haben die künstlerische Kreativität wesentlich beeinflußt. So waren z. B. photographische Zwischengänge bereits üblich. Da eigenhändige Entwürfe spiegelverkehrt auf den Lithostein gebracht wurden, wäre eine im Stein angebrachte Signatur demnach nicht zu entziffern gewesen. Manche Drucktechniken, z. B. die Strich-Lithographie, erlaubten schon damals ein unverfälschtes Übertragen der ersten Zeichnung mittels Photoauszügen auf die Druckform, was auch die signaturähnlichen Bezeichnungen erklärt. Mehrmaliges Umkopieren und Schablonieren weiterer Graphikelemente wie Schriften und Farbflächen ließen die Lithographie in ihrer endgültigen Fassung entstehen.

Die an ihren klaren und gleichmäßigen Farbflächen zu erkennende Lithographie war im Jugendstil nicht mehr – wie etwa die Chromolithographie der Buchillustration – nur ein Übertragen eines farbigen Entwurfes, sondern eine graphische Schöpfung, deren Endzustand sich erst im Laufe des Verfahrens entwickelte. Wenn die einzelnen Farbauszüge, d. h. je eine Farbe auf Papier, Film, Stein oder Druckplatte, nicht aufbewahrt wurden, war eine Neuauflage in gleicher Ausstattungsqualität nicht wiederholbar.

Die Tafeln

Eugène Grasset
Enchantement, Lied von Jules Massenet, Text von Jules Ruelle
Heugel & Cie., Paris ohne Jahr (um 1890)
Zinkographie in Krapplack, Blau, Gelb, Grau und Schwarz
bezeichnet: E Grasset
Drucker: Gillot

Eugène Grasset (1841–1917) gilt als einer der großen Anreger und Reformer der Druckkunst im 19. Jahrhundert. Der 1841 in Lausanne geborene Maler, Graphiker und Kunstgewerbler ließ sich 1871 in Paris nieder. Seine Einflüsse auf das Kunstgewerbe des frühen Jugendstils waren bedeutend. Im Bereich der Druckgraphik haben seine Plakate entscheidend die jüngere Generation der Jugendstilkünstler beeinflußt.

Der Musiktitel «Enchantement» («Verzauberung») wird von einer mit magischen Zeichen behangenen, ins All ragenden und über Himmelskörper gebietenden Zauberin beherrscht. Durch den Symbolgehalt dieser rätselhaften Darstellung versucht Grasset, den Einfluß von Musik auf die Gefühle der Zuhörer auch optisch auszudrücken.

Grassets Notentitel ist als Zinkographie ausgeführt. Diese in der graphischen Bearbeitung der Lithographie verwandte Technik wurde um 1850 von Gillot in Paris entscheidend weiterentwickelt. Als Ersatz für den schweren Solnhofener Kalkstein konnten bei diesem Hochdruckverfahren leichtere und unempfindlichere Zinkplatten benutzt werden. Bei Notentiteln wurde die Zinkographie selten verwendet.

Jules Massenet (1842–1912) wurde in Frankreich in der zweiten Hälfte des 19. Jahrhunderts überwiegend als Opernkomponist bekannt und setzte sich mit seinen Opern «Manon» und «Werther» auch international durch.

Enchantement

Mélodie

Poésie de Jules Ruelle

Musique

de J. Massenet

N° 1 en la
N° 2 en si bémol
N° 3 en ut
N° 4 en ré bémol
N° 5 en ré naturel

Paris

du Ménestrel, 2 bis rue Vivienne

Heugel & Cie
Éditeurs-Propriétaires pour tous pays

Max Klinger
Vier Lieder von Johannes Brahms, Texte von Heinrich Heine und
Friedrich Daumer
N. Simrock, Berlin 1886
Federlithographie in Bister und Oliv
bezeichnet: M. K. 86
Drucker: Röder'sche Offizin, Leipzig

Max Klinger (1857–1920) wurde durch seine Graphik-Zyklen, die
zwischen 1880 und 1890 entstanden, erstmals in der Öffentlichkeit
bekannt. Wesentliche Elemente des dekorativen Jugendstils sind in
den Werken dieser ersten Schaffenszeit zu erkennen, zu denen auch
seine gebrauchsgraphischen Einzelblätter und insgesamt fünf Notentitel
zu Kompositionen von Johannes Brahms zählen.

Heinrich Heines Gedicht «Meerfahrt» hat Max Klinger unter den
vier Liedern von Brahms für seine Titelausstattung ausgewählt. Dort
heißt es: «Die Geisterinsel, die schöne, lag dämm'rig im Monden-
glanz . . .» In Anbetracht der Verehrung, die Max Klinger für sein
Vorbild Arnold Böcklin hegte, liegt eine thematische Verbindung zu
dessen Gemälde «Toteninsel» von 1880 nahe. Heines Gedicht endet:
«. . . wir aber schwammen vorüber, trostlos auf weitem Meer, auf
weitem, weitem Meer.»

J. BRAHMS

VIER LIEDER

FÜR EINE SINGSTIMME
MIT BEGLEITUNG DES
PIANOFORTE, OPUS 96.

English text by Mrs John P. Morgan, New-York
Mrs. Morgan's translation is the only translation
authorized by the Composer
Copyright 1886 by G. Schirmer   New-York

Ent⁴ Stat⁴ Hall.

Verlag und Eigenthum für alle Länder
von
N. SIMROCK in BERLIN.

Heinrich Rettig
Heimkehr, Lied von Richard Strauss, Text von Adolf Friedrich von Schack
D. Rather, Leipzig ohne Jahr (um 1890)
Lithographie in Rot, Grün und Schwarz
bezeichnet: H. Rettig.
Drucker: Lith. Anst. v. C. G. Röder, Leipzig

Heinrich Rettig (1859–1921) arbeitete vorwiegend als Landschafts- und Bildnismaler in München. Das Titelblatt zu dieser frühen Komposition von Richard Strauss (1864–1949) entspricht dem Inhalt der Dichtung des Grafen Schack, der heute nur noch durch die von ihm zusammengetragene Kunstsammlung, kaum mehr als Lyriker bekannt ist. Die Komposition wurde Frau Johanna Pschorr zugeeignet.

LE RETOUR
TEXTE FRANÇAIS DE
H. MASSET. CHANT
avec ACCOMPAGNEMENT
DE PIANO

HOMEWARD
ENGLISH WORDS BY
P. ENGLAND. SONG
with PIANO ACCOMPA-
NIMENT

H. RETTIG.

heimkehr.

A. F. v. SCHACK.

FÜR EINE SINGSTIMME m. BEGLEITUNG DES PIANOFORTE
VON

RICHARD STRAVSS.

OPVS 15. No 5 - E DVR, G DVR, D DVR

Droits d'exécution réservés.
Aufführungsrecht vorbehalten.
Eigenthum des Verlegers für alle Länder.
Eingetragen in das Vereins-Archiv.
D. RAHTER, LEIPZIG-HAMBURG-MAILAND.

Max Klinger
Sechs Lieder für eine Singstimme von Johannes Brahms
N. Simrock, Berlin 1886
Lithographie in Hellbraun und Dunkelbraun
bezeichnet: M. Klinger 86
Drucker: Röder'sche Officin, Leipzig

Im Bestreben nach Gesamtgestaltung bezieht Klinger, wie zu einigen
seiner Gemälde die Umrahmung, bei seinen Musiktiteln die Schrift in
das Gestaltungskonzept ein. Zum hier gezeigten Titelblatt ließ sich
Klinger vom Text eines der sechs Lieder, «Entführung» von Willibald
Alexis (1798–1871), anregen: «O Lady Judith . . . hart ist der Sitz und
knapp und schmal, und kalt mein Kleid von Erz, doch kälter und härter
als Sattel und Stahl, war gegen mich dein Herz, . . .» Der in der letzten
Strophe des Liedes erwähnte Reiterheilige und Drachentöter St. Georg
ist Teil der Umrahmung.

J. Brahms

op. 97

6 Lieder für eine Singstimme
mit Begl. d. Pianoforte

No. 1 Nachtigall. .... }C.Reinhold.	No. 4. Dort in den Weiden . Niederrheinisches Volkslied.
No. 2 Auf dem Schiffe .	No. 5. Komm' bald .... Klaus Groth.
No. 3 Entführung. ..... W. Alexis.	No. 6. Trennung. .... Schwäbisch.

English text by Mrs. John P. Morgan of New York.
Mrs. Morgan's translation is the only translation authorized by the Composer.

Ent⁺ Stat⁵ Hall.
Verlag und Eigenthum für alle Länder
von
N. SIMROCK in BERLIN.

1886

Für hohe Stimme.

Für tiefe Stimme.

anonym
Hänsel und Gretel. Lied des Sandmännchens und Abendsegen aus der
gleichnamigen Oper von Engelbert Humperdinck
B. Schott's Söhne, Mainz 1895
Lithographie in Orange, Olivgrün und Blau
ohne Bezeichnung
ohne Druckernachweis

Der Farbverlauf vom oberen Bildrand abwärts und umgekehrt, wie er
auf diesem Notentitel erscheint, ist ein noch heute oft angewandtes
Schmuckelement in der modernen Druckkunst, das auf die ab 1865 be-
kanntgewordenen Holzschnitte aus Japan zurückgeführt werden kann.
  Die Suse im raschelnden Stroh, das Männlein im Walde, das Lied
vom Griesgram, die schelmische Tanzweise, Sandmännchens Kommen,
die vierzehn Englein beim Schlafengehen des Kindes und viele andere
Melodien begeistern alljährlich viele nicht nur junge Märchenfreunde
in dieser oft gespielten Oper, die als Hauptwerk Engelbert Humper-
dincks (1854–1921) gilt.

HÄNSEL UND GRETEL

LIED DES SANDMÄNNCHENS
UND ABENDSEGEN

E. HUMPERDINCK.

I. SANDMÄNNCHEN
  für eine Singstimme (hoch) und Klavier . . . . 1 —
    id.   id.   (tief)   id. . . . . 1 —
  für Violoncell und Klavier *(Goltermann)* 1 25
  für Violine und Klavier 1 25

II. ABENDSEGEN (Evening Prayer)
  für zwei Singstimmen (Sopran und Mezzo-Sopran) und Klavier — 50
  für eine Singstimme   id.   id. — 50
  für vier Singstimmen (gemischter Chor) . . . . — —
  für Violoncell und Klavier *(Goltermann)* 1 25
  für Violine und Klavier 1 25
  für kleines Orchester *(Steiner)* . . . . Partitur — —
                                            Stimmen — —

Performing right reserved.

Eigenthum der Verleger.

LONDON
SCHOTT & Cᵒ

BRÜSSEL
SCHOTT FRÈRES

MAINZ
B. SCHOTT'S SÖHNE

PARIS
EDITIONS SCHOTT

Printed in Germany.

Tous droits de Représentation, d'Audition & d'Edition
reservés pour tous pays.

Copyright 1895 by B. Schott's Söhne, Mayence.

Max Klinger
Ausgewählte Lieder von Johannes Brahms
N. Simrock, Berlin ohne Jahr (um 1890)
Holzstich nach Klinger in Schwarz und Rot
bezeichnet: M. Klinger (durch Xylographieanstalt)
Drucker: Roeder'sche Officin, Leipzig

Vor 1895 war es keineswegs üblich, Schrift und Bild eigenhändig von einem Künstler anlegen zu lassen und auf ergänzende Wirkungen hin zusammenzufügen.

Max Klingers Entwurf zu dem vorliegenden Notentitelblatt wurde durch den Umsetzungsstecher so hervorragend wiedergegeben, daß zwischen den von Klinger eigenhändig lithographierten Notentiteln und diesem seltenen Holzstich kein Verlust des für den Künstler kennzeichnenden Federstriches festzustellen ist.

AUSGEWÆHLTE LIEDER

VON

J. BRAHMS.

ACHTER BAND.

Verlag und Eigenthum für alle Länder
von

N. SIMROCK in BERLIN.

G. m b. H.

anonym
O Sole mio, Lied von Eduardo di Capua, Text von Giovanni Capurro
Bideri, Neapel 1898
Mischtechnik in Rot, Hellblau und Blau
ohne Bezeichnung
ohne Druckernachweis

Enrico Caruso (1873–1921) war der erste große Interpret von «O Sole mio». Bereits um die Jahrhundertwende auf Schallplatte aufgenommen, wurde dieses neapolitanische Lied und sein Interpret über unzählige Trichtergrammophone international bekannt.

'O Sole mio!

Primo Premio al Concorso de la " TAVOLA ROTONDA ,, — Piedigrotta 1898.

Versi di

G. Capurro

Musica di

E. Di Capua

PREMIATO STABILIMENTO BIDERI

EDITORI–STAMPATORI

NAPOLI — Via S. Pietro a Majella, 17 — NAPOLI

DEPOSITO: ROMA–TORINO–VENEZIA–MILANO–PALERMO

FIRENZE–BOLOGNA–BARI

Depositato a norma dei trattati contemporanei. — Deposité for tutti i paesi.

Tutti i diritti di riproduzione, di esecuzione, di traduz. e di trascriz. sono riservati.

(Printed in Italy)

Proprietà letteraria riservata

Num. 206

Prezzo Fr: 4,00

anonym
Wolkenkratzer-Marsch von Ernst Rotter
Fr. Portius, Leipzig ohne Jahr (um 1900)
Lithographie in Orange, Hellblau und Schwarz
ohne Bezeichnung
Drucker: Lith. Anst. v. C. G. Röder, Leipzig

New York zählte um 1900 schon über 3,5 Millionen Einwohner. Zu die-
ser Zeit wurden auf Ausstellungen Jugendstilerzeugnisse wie Gläser,
Lampen und Fenster der Firmen von Louis Comfort Tiffany erstmals in
Europa gezeigt. Die fortschrittliche Metropolis mit ihren fünfzig Stock-
werken hohen Wolkenkratzern, ihren Expreßaufzügen, Hoch- und
Untergrundbahnen und kühnen Brückenkonstruktionen galt damals als
Inbegriff der Superlative und des technischen Fortschrittes.

Wolkenkratzer-Marsch

Sky-scraper March · Marche du Gratte-Ciel.

für Pianoforte
komponiert von

Ernst Rotter.

Op. 10. Pr. M. 120.

Eigentum des Verlegers.
LEIPZIG, FR. PORTIUS

anonym
Kinematograph in Tönen. Potpourri von Dominik Ertl
Joh. Hoffmann's Wwe., Prag ohne Jahr (um 1900)
Lithographie in Zinnober, Grau, Graublau und Schwarz
ohne Bezeichnung
Drucker: Lith. Anst. v. C. G. Röder, Leipzig

Die musikalische Begleitung zu Stummfilmen wurde nicht nur durch einen einzelnen Klavier- oder Orgelspieler besorgt. In zahlreichen Städten spielten gut besetzte Orchester in den Lichtspieltheatern, die, wie der vorliegende Musiktitel zeigt, in den Pausen auch die projizierten Ankündigungen von neuen Schlagern musikalisch untermalten.

KINEMATOGRAPH in TÖNEN.

POTPOURRI
NACH MOTIVEN
BELIEBTESTER OPERETTEN,
COUPLETS, TÄNZE
UND LIEDER
VON
DOMINIK ERTL.
OP. 180.

Alle Vervielfältigungs- und Aufführungsrechte vorbehalten

PRAG, JOH. HOFFMANN's Wwe.
JAROMIR HOFFMANN
k.u.k. Hof und erzherzogl. Kammer Musikalienhandlung
I. KLEINE KARLSGASSE Nr 29 neu
Leipzig R. Forberg

Für Clavier zu zwei Händen Kr 3.60 Mk
Für grosses Orchester netto K 12 .. Mk   Für kleines Orchester netto Kr 6 ... Mk
Für Salonorchester netto Kr 6 ... Mk

Emil Rudolf Weiss
Zwölf Lieder von Max Reger
Lauterbach und Kuhn, Leipzig 1902
Lithographie in Hellgrün, Ocker und Rosa
bezeichnet: E. R. Weiss 1902
Drucker: Oscar Brandstetter, Leipzig

Emil Rudolf Weiss (1875–1942) machte sich besonders als Schriftent-
werfer und Buchillustrator einen Namen. Er zählte zu den Ausstattern
der 1899 begründeten Zeitschrift «Die Insel», die ab 1902 von Anton
Kippenberg im eigenen Verlag übernommen wurde und ein Stück Geschichte der deutschen Buchkunst darstellt. Weiss entwarf im gleichen
Jahr einen weiteren Notentitel zu einem Werk von Max Reger, den
«Sechs Gesängen».

No. 2. Freundliche Vision. „Eine Wiese voller Margeriten."

Paul Telemann
Ilse, Musik und Text von Frank Wedekind
Verlag Harmonie, Berlin ohne Jahr (um 1901)
Lithographie in Orange und Dunkelblau
bezeichnet: TELEMANN
Drucker: Lith. Anst. v. C. G. Röder, Leipzig

Die Gründungen mehrerer berühmter Kabaretts, die ein fortschrittliches Programm zu bieten hatten, fallen in die Zeit des Jugendstils.

Kurz nach Eröffnung des Berliner «Überbrettl» im Jahre 1901 durch Ernst von Wolzogen (1855–1934) wurde in München das erste zeitkritische Kabarett von bekannten Musikern und Schriftstellern gegründet. «Die elf Scharfrichter» standen für die Kampfansage allem Rückständigen gegenüber. Erst nachträglich stieß Frank Wedekind (1864–1918) zu der Gruppe; im Gegensatz zu den anderen bediente er sich keines Pseudonyms und trug seine Lieder fallweise selbst vor. Das Lied «Ilse» erlangte besondere Berühmtheit durch die zum Mythos gewordene Marya Delvard, deren Vortrag in schwarzem Gewand und bleichgeschminktem Gesicht später oft kopiert wurde.

Frank Wedekind

ILSE

für Gesang mit Klavier-
oder Lautenbegleitung

Preis Mk. 1,50

Verlag Harmonie
Berlin W

anonym
Ich pfeif' drauf, Lied von Victor Hollaender, Text von Julius Freund
Verlag Harmonie, Berlin 1901
Lithographie in Rot, Graublau und Schwarz
ohne Bezeichnung
Drucker: Notendruckerei Paris & Co., Berlin

Der Verlag «Harmonie» in Berlin hatte sich von 1900 an auf kabarettistische Kleinkunst und humorvolle Buchausgaben spezialisiert. Viele bekannte Berliner Graphiker wurden für die Ausstattung der Bücher und Notenhefte unter Vertrag genommen. Auf einigen Titeln – darunter der abgebildete – fehlt jedoch die Bezeichnung des Künstlers.

Victor Hollaender (geb. 1866) war Kapellmeister am Metropoltheater in Berlin, für das er viele Operetten schrieb.

Fritz Erler
Lieder von Richard Strauss
Adolph Fürstner, Berlin 1902
Lithographie in 2× Hellbraun und Ocker
bezeichnet: Erler
Drucker: Lith. Anstalt C. G. Röder, Leipzig

Fritz Erler (1868–1940) schuf das erste Titelblatt der Münchener Zeitschrift «Jugend» (1896), die dem Jugendstil den Namen gab. Auch in anderen Bereichen der damals aktuellen Kunstgestaltung war er der Mann der ersten Stunde. Im vorliegenden Notentitel verwendet Erler ein Stilmittel, das in vielen seiner Illustrationen anzutreffen ist: Das Bildmotiv scheint im Bildrahmen und aus ihm heraus zu gleiten. Hier ist die Darstellung des Fliegens, Schwebens und der Bewegung eine ideale visuelle Ergänzung zu den rauschhaften Texten damaliger Lyrik und dem spätromantischen Liedschaffen von Richard Strauss.

Lieder
von
Richard Strauss

WALDSELIGKEIT
op. 49 nᵗᵒ 1

Hoch Gisdur   Tief Esdur

Pr: M. 1.60 netto

ADOLPH FÜRSTNER
BERLIN W - PARIS

Fidus
Ungarische Tänze, ausgewählt von Janos Fodor
Alfred Michow, Charlottenburg (Berlin) ohne Jahr (um 1900)
Lithographie in Ocker und Schwarz
bezeichnet: Fidus
ohne Druckernachweis

Fidus, Pseudonym für Hugo Höppener (1868–1948), war um 1900
auch als Illustrator für die Zeitschrift «Jugend» tätig. Er lebte um die
Jahrhundertwende eine Zeitlang zusammen mit dem Dichter Wilhelm
Diefenbach weltabgeschieden in einem Steinbruch bei München. Als
Anhänger naturverbundener Lebensformen teilte Hugo Höppener das
entbehrungsreiche Eremitenleben seines Freundes, wofür er von
Diefenbach den Beinamen Fidus – der Getreue – erhielt, den er als
Künstlernamen beibehielt.
   Nur leicht abgewandelt, wurde der für Fidus typische Titelentwurf
auch für andere Tanzmusik-Titel desselben Verlags verwendet.

O. Z.
Die Kirschen in Nachbars Garten, Walzerlied von Victor Hollaender,
Text von Julius Freund
Verlag Harmonie, Berlin 1902
Lithographie in Rot, Olivgrün und Schwarz
bezeichnet: O. Z.
Drucker: Notendruckerei Paris & Co., Berlin

In diesem Titelblatt werden «die Kirschen in Nachbars Garten», nach
dem Liedtext «so süß und so rot», in dekorativer Doppeldeutigkeit ver-
bildlicht. Der Text von Julius Freund spiegelt den Humor der damaligen Salonkultur wider, «. . . in fremden Revieren zu pürschen . . .», mit
der später folgenden Einschränkung: «. . . auch ich werde Nachbarn
bekommen». Ähnliche Couplets standen auf dem Programm tingelnder
Vortragskünstler in den Unterhaltungsetablissements.

DIE KIRSCHEN IN NACHBARS GARTEN.

WALZER = LIED für eine mittlere Stimme
mit Klavier = Begleitung
aus: Die Zwölf Frauen des Japhet.

Text von
Julius Freund.

Preis 1,50
Ausgabe für Klavier allein 1.50

VERLAG
HARMONIE
BERLIN.

Musik von
Victor Hollaender.

Edmund Edel
Der lustige Ehemann, Tanz-Duett, Musik von Oskar Straus, Text von
Otto Julius Bierbaum
Theaterverlag Eduard Bloch, Berlin ohne Jahr (um 1901)
Lithographie in Karmin, Gelb und Braun
bezeichnet: E Edel
Drucker: Lith. Anst. v. E. & C. Paris, Berlin

Edmund Edel (1863–1934) gehörte ab 1900 der Gruppe führender
Berliner Plakatkünstler an. Als Illustrator war er auch für den Verlag
Harmonie tätig.

Otto Julius Bierbaum (1865–1910) genoß als vielseitiger Schriftsteller
und als Herausgeber und Redakteur bedeutender Literaturzeitschriften
hohes Ansehen. So regte er zusammen mit Frank Wedekind den
Schriftsteller Ernst von Wolzogen zur Gründung des Berliner Kabaretts
«Überbrettl» an. Zu dessen ersten Nummern zählte das vorliegende
Tanzduett, das von Oskar Straus (1870–1954), dem musikalischen Leiter dieses ersten Berliner Kabaretts, vertont wurde.

anonym
Rufus, das Pfeifgigerl (Whistling Rufus), Marsch von Kerry Mills
C. M. Roehr, Berlin ohne Jahr (um 1900)
Lithographie in Gelb und Schwarz
ohne Bezeichnung
ohne Druckernachweis

Dieser anonyme Notentitel vermittelt eine Vorstellung davon, wie begierig im Jugendstil auch Ungewohntes aus der Neuen Welt in Europa aufgenommen wurde. Die Freude der jungen Generation an sogenannter «Negermusik» mit ihren neuartigen und aufregenden Rhythmen brach mit den alten Tanzordnungen und tradierter Etikette. Doch nichts brachte die Abkehr von den alten Tänzen so drastisch zum Ausdruck wie der Erfolg des „Cake Walk", eines Bühnen- und Gruppentanzes im schnellen Marschrhythmus.

Paul Schneider
Tralalala! (Im Liebesfalle) Musik von Arthur Guttmann, Text von
Julius Freund
Ed. Bote & G. Bock, Berlin 1904
Lithographie in Karmin, Blaßorange, Gelb und Violett
bezeichnet: P. Sch.
Drucker: Lith. Anst. v. C. G. Röder, Leipzig

Die «Circe vom Metropol», wie Fritzi Massary genannt wurde, sang im
Jahre 1904 zu Beginn ihrer Karriere als Revue- und Operetteninterpre-
tin erstmals diese Einlage zu einer Metropoltheater-Revue von Victor
Hollaender. Mit ihrer unverwechselbar näselnden Stimme konnte die
legendäre Diva über drei Jahrzehnte Triumphe in Berlin und Wien fei-
ern; ihre Stimme ist der Nachwelt durch Schallplattenaufnahmen erhal-
ten geblieben. Fritzi Massary starb fast 87jährig im Jahre 1969 in ihrem
kalifornischen Exil.

TRALALALA!
(Im Liebesfalle.)
Text von
JULIUS FREUND.
Musik von
ARTHUR GUTTMANN.
Ausgaben
für Gesang und Klavier M 1.50
für Orchester M 2.—
für Pariser Besetzung M 2.—
für Infanterie-Musik M 2.—
für Blech-Musik M 1.50
für Zither M —.60
EIGENTUM DER
VERLEGER FÜR
ALLE LÄNDER.
ED. BOTE
&
G. BOCK,
·BERLIN·
AUFFÜHRUNGSRECHT
VORBEHALTEN
P. SCH.

Max Karl Tilke
Salome, Oper von Richard Strauss nach Oscar Wildes gleichnamiger
Dichtung
Adolph Fürstner, Berlin-Paris 1905
Lithographie in Scharlachrot, Ocker und Blau
bezeichnet: Max Tilke. fec
Drucker: Lith. Anst. v. C. G. Röder, Leipzig

«Weil sie mit der Pfauenschleppe ihrer Schönheit einzig in den schil-
lernden Farben eines glühenden Orchesterklanges auflebt, weil sich die
Figur der ‹Salome› durch die Stimmungsmalerei der Partitur überhaupt
erst entwickelt, bleibt die Wildesche Dichtung nur Vorwand. Und obwohl die Prinzessin von Judäa kühl und ein wenig Schauspielerin ist,
bestechen uns ihre diamantglitzernden Augen, berauscht die sinnbetö-
rende Thematik der Musik. Niemals bis dahin wurde in der Oper ein
ähnlicher Klang gehört. Atemberaubend, mit der Prägnanz weniger
Takte führt das Orchester in jenes schwüle Geschehen der biblischen
Handlung.» Soweit Gerhard Schulz über die «Salome» von Strauss,
deren glänzende Uraufführung am 9. Dezember 1905 an der Dresdner
Hofoper den Komponisten mit einem Schlag zum führenden Musik-
dramatiker der Gegenwart machte.
    Max Karl Tilke (1869–1942) wurde als Maler, Zeichner, Illustrator,
Radierer und Kostümforscher bekannt. Nach Studienaufenthalten in
Berlin und Paris war er von 1912–13 als Professor für Trachtenkunde
am Georgischen Museum in Tiflis tätig.

SALOME.

Drama nach Oscar Wilde's gleichnamiger Dichtung.

Musik

von

Richard Strauss.

Op. 54

		M.
Klavier=Auszug mit deutsch=englischem Text	netto	16.—
Klavier=Auszug mit französisch=italienischem Text	netto	16.—
Klavier=Auszug mit französischem Text. Neue Ausgabe	netto	16.—
Klavier=Auszug für Piano solo mit überlegtem deutsch=englischem Text	netto	16.—
Klavier=Auszug für Piano solo mit überlegtem französisch=italienischem Text	netto	16.—
Klavier=Auszug zu vier Händen mit überlegtem deutsch=französischem Text	netto	20.—

* * *

Soloszene der Salome für Gesang und Klavier mit deutschem Text	netto	5.—
Soloszene der Salome für Gesang und Klavier mit französisch=italienischem Text	netto	5.—
Soloszene der Salome für Gesang mit Orchesterbegleitung. (Preis nach Vereinbarung.)		
Salomes Tanz für Klavier zu 2 Händen	netto	3.—
Salomes Tanz für Klavier zu 4 Händen	netto	5.—
Salomes Tanz für 2 Klaviere zu 4 Händen	netto	8.—
Salomes Tanz für Militär=Musik, Part. u. Stim.	netto	24.—
Salomes Tanz für grosses Orchester. (Preis nach Vereinbarung.)		
Fantasie (arrangiert von Joh. Doebber).		
Für Klavier zu 2 Händen	netto	4.—
Für Klavier zu 4 Händen	netto	4.—
Für grosses Orchester. Partitur u. Stimmen	netto	20.—
Jede Instrumentalstimme	netto	1.—
Für Salon=Orchester (m. Klavier und Harmonium ad lib.)	netto	6.—
Für Pariser Besetzung	netto	4.—
Klavier= u. Harmoniumstim.à	netto	2.—
Jede Instrumentalstimme	netto	—.60

Eigentum des Verlegers für alle Länder.

Berlin-Paris,
Adolph Fürstner.

Aufführungsrecht vorbehalten.

Lith.Anst v. C.G.Röder G.m.b.H. Leipzig.

Max Tilke fec.

anonym
Das neue Leben, von Ermanno Wolf-Ferrari
D. Rather, Hamburg und Leipzig 1904
Lithographie in Ocker und Schwarz
ohne Bezeichnung
ohne Druckernachweis

Das Titelblatt einer Komposition, der Dantes gleichnamige Dichtung zugrunde liegt, zeigt den Dichter und Beatrice in einem herzförmigen Bild, umrahmt von frei entworfener Schrift. Der Komponist Wolf-Ferrari (1876–1948) wurde überwiegend durch seine Opern bekannt, schuf aber auch Kammer- und Chormusiken.

E. WOLF-FERRARI.

LA VITA NOVA

OP. 9.

Das neue Leben.

Für Clavier allein mit unterlegtem Text von Otto Singer.

Pr. M. 6.— netto.

Daraus einzeln: No 3. Engelreigen. Preis M. 1.—

Eigenthum des Verlegers für alle Länder.   Eingetragen in das Vereinsarchiv.
Gr. goldene Medaille.

D. RAHTER.
HAMBURG.   LEIPZIG.
Copyright 1904 by D. Rahter.

Paul Schneider
Quadrille à la Cour, Lancier von Carl Faust
Anton J. Benjamin, Hamburg ohne Jahr (um 1905)
Lithographie in Siena, Helloliv und Preußischblau
bezeichnet: P. Sch.
Drucker: Lith. Anst. v. C. G. Röder, Leipzig

Dem Tanz «Quadrille» entsprechend muß sich die auf dem Titelblatt
gezeigte Karnevals-Gesellschaft zu jeweils vier Paaren im Karree auf-
stellen. Welch große Bedeutung diese «Lanciers» (Stimmungsmacher)
auf Bällen und Kostümfesten hatten, läßt sich an der Zahl von acht weiteren Ausgaben für verschiedene Instrumentierungen ablesen.

Quadrille à la Cour

LANCIER

für das PianoForte

componirt von

CARL FAUST.

Ausgaben:
für Pianoforte zu 2 Händen
für ...
...
...
...
...
...

OP. 40.

Mit Vorbehalt aller Bearbeitungen.

Verlag von
ANTON J. BENJAMIN, HAMBURG.

Don Quixote, Marche grotesque von Theo Rupprecht
Leopold Schroeder, Berlin-Spandau 1905
Lithographie in Oliv und Gelb
Bezeichnung nicht entzifferbar
Drucker: Berliner Musikalien Druckerei, Charlottenburg (Berlin)

Durch das Wechselspiel von Darstellung und Schrift bzw. deren Verschmelzung zu einer Bildeinheit erhielten viele Jugendstilgraphiken eine komplexe Ordnung. Verschiedentlich konnte dadurch eine Erweiterung des Bildinhaltes erzielt werden. So wirkt der Schriftzug «Don Quixote» wie ein Hindernis, vor dem sich Pferd und Reiter aufbäumen.

Don Quixotte

Marche grotesque

composée par

Theo Rupprecht Op. 18

fr. M. 1.50

1 ère Partie: Marche aventurière de Don Quichotte à travers de l' Espagne.   II e Partie: Bruit d'un moulin à vent en mouvement. Henissement des chevaux. Don Quichotte et son fidèle compagnon Sancho Panse donnant l'assaut au moulin. Cris et fous rires des garcons meuniers. Après le combat Don Quichotte s'en retourne fière de sa victoire.

Tous droits de reproduction, de traduction et d'exécution réservés.

Edition et propriété pour tous pays
Leopold Schroeder,
Berlin-Spandau.
à Nancy chez Dupont-Metzner
7 Rue Gambetta.
Copyright 1900 by Leopold Schroeder, Spandau.

Toute contrefaçon sera rigoureusement poursuivie.

Paul Schneider
Töff-Töff, Potpourri von Camillo Morena
Verlag Harmonie, Berlin ohne Jahr (um 1905)
Lithographie in Rot und Schwarz
bezeichnet: P. Sch.
Drucker: Lith. Anst. v. C. G. Röder, Leipzig

Die zeitnahe Darstellung zeigt Automobilistinnen, wie des Fahrens tüchtige Damen um 1900 genannt wurden. Knapp 20 Jahre waren vergangen, seit in Mannheim 1885 der erste Viertaktbenzinmotor mit elektrischer Zündung das Zeitalter der Motorisierung einleitete, da nutzten Werbegraphiker bereits die später dann vielfach angewandte assoziative Koppelung von Autofahren und Musik.

F. Sotthol
Valérie-Valse von Camillo Linka
Anton J. Benjamin, Hamburg 1905
Lithographie in Krapplack, Zinnober, Hellblau, Gelb und Dunkelbraun
bezeichnet: F. Sotthol 1905
Drucker: Lith. Anst. v. C. G. Röder, Leipzig

Das Titelblatt zu Valérie-Valse läßt eine Vielfalt psychologisch durch-
dachter Momente erkennen. Der geheimnisvolle Gesichtsausdruck der
Dame, ihre pompöse Kleidung, der Wald im Hintergrund und die duf-
tende Rose sind verwirrende Details einer visuellen Einstimmung auf
eine Walzermelodie.

KOMPONIERT VON
CAMILLO LINKA.

VERLAG VON ANTON J. BENJAMIN, HAMBURG.

FÜR	PIANO ZU ZWEI HÄNDEN	M. 1.80
„	ORCHESTER	NETTO „ 3.—
„	PARISER ORCHESTER	„ 1.80

10% Teuerungszuschlag

Othmar Fabro
Die Dollarprinzessin, Operette von Leo Fall
Verlag Harmonie und Theater an der Wien, Berlin und Wien 1907
Lithographie in Zinnober, Gelb, Grün, Grau, Schwarz und Gold
bezeichnet: Othmar Fabro. 1907.
Drucker: Notendruckerei Paris & Co., Berlin

Fabros Titellithographie zu Leo Falls Operette gibt in mehreren Stufen
das oft abgewandelte Thema von Liebe und Geld wieder. Die in literari-
schen Vorlagen schon oft zuvor gestellte Frage, ob Zuneigung oder Ver-
mögen das Leben zu zweit erleichtern, läßt Othmar Fabro durch die an
den Fäden einer Marionette ziehende Dollarprinzessin beantworten.

LEO FALL.

W. Fitzner
Tiefland, Musikdrama von Eugen d'Albert
Ed. Bote & G. Bock, Berlin 1907
Lithographie in Krapplack, Gelb, Blau, Braun und Grau
bezeichnet: W. Fitzner.
ohne Druckernachweis

Die Höhen und Tiefen der Opernhandlung werden von Fitzner durch
eine Hell- und Dunkelstaffelung in der Titelgraphik zum Ausdruck
gebracht. Der unheimlichen Tiefe, den Schattenseiten, dem Spott, Neid,
der Habgier und den davon geprägten Bewohnern steht die andere, die
helle Welt mit ihrer Freude und Stärke, das Hochland der Hirten und
Senner, gegenüber.

·TIEFLAND·

·EUGEN·D'ALBERT·

·ED· BOTE·u·G.BOCK·

W. Fitzner.

Klavier-Partitur (mit deutsch.u.engl.Text) M.20,— netto.
(Vocal-Score with English and German words)

Klavier allein mit Text   M. 12,— netto.
(Piano-Score with German words)

Paul Telemann
Die oberen Zehntausend, Revue von Gustav Kerker, Text von Julius
Freund
Ed. Bote & G. Bock, Berlin 1907
Autotypie in Rot, Blau und Schwarz
bezeichnet: Telemann 09 (= 1909)
Drucker: C. G. Röder, Leipzig

Das Hochdruckverfahren der Autotypie wurde um 1900 eingesetzt, um
mit einem weiteren Farbdruckverfahren über die Lithographie hinaus
zu anderen Druckergebnissen zu gelangen. Die von Meisenbach erfun-
dene Autotypie ermöglichte es erstmals, lebhafte Halbtöne eines aqua-
rellierten Entwurfes als Grundstimmung wiederzugeben. Mit den vom
Künstler oft eigenhändig überarbeiteten Farbauszügen konnte durch
Verstärken oder Abschwächen einzelner Partien beim späteren Über-
einanderdrucken eine besondere Wirkung erzielt werden. So ermöglichte die Autotypie eine Graphik, welche die Spontaneität des Entwurfes
bewahrte.

Paul Telemann war in der Zeit von 1900 bis 1940 einer der eifrigsten
Notentitelkünstler. Sein auf diesem Sektor außerordentlich umfassendes
graphisches Werk setzte künstlerische Maßstäbe und blieb dabei doch
werbewirksam. Wie zeitgenössische Plakatkünstler verfügte er über
eine Skala von differenzierten Gestaltungsmöglichkeiten, die genau auf
das Format der Notentitel zugeschnitten waren. Obwohl er im Laufe
seines Schaffens mehrere hundert Musiktitel ausführte, sind seine
Lebensdaten heute nicht mehr bekannt.

DIE OBEREN ZEHNTAUSEND

TEXT VON JULIUS FREUND
MUSIK VON GUSTAV KERKER

REPERTOIR-STÜCK DES METROPOL-THEATERS BERLIN.

Für Gesang und Klavier.

Klavier-Auszug mit Text . . 10.— no.
2. Drei süße Weibchen unter
   einem Hut . . . . . . 1.80 no.
6. Nur auf Frauen (Walzerlied) 1.80 no.
8. Kuß-Duett (Kiss-Kiss) 1.80 no.
11. Frauentreue (Barcarole) —
   Hoch, Tief . . . . . . 1.50 no.
13. Bis daher! . . . . 1.50 no.
15. Eine wie meine Kleine . . 1.50 no.
16. Ein kleines Häuschen . . 1.50 no.
17. O Liebeslust (Kontrabaß-Couplet) 1.50 no.
18. Goldfisch-Duett . . . . . 1.50 no.
21. Wir tanzen auf einem
   Pulverfaß. Walzerlied . 1.50 no.
23. Baby . . . . 1.50 no.

Für Klavier.

Klavier-Auszug zweihändig mit
   unterlegtem Text . . . . *
1. Potpourri . . . . 3.— no.
2. Pulverfaß-Walzer . . . . 2.— no.
3. Die oberen Zehntausend.
   (Marsch) . . . . 1.50 no.
4. Drei süße Weibchen.
   Rheinländer . . . . . 1.50 no.

Illustriertes Textbuch (Text d. Gesänge) —.50 no.

Eigentum der Verleger.   Aufführungsrecht vorbehalten.

ED. BOTE & G. BOCK, BERLIN W: 8
Königliche Hofmusikalienhändler.

Robert Leonard
Das muss man seh'n! Revue von Victor Hollaender, Text von Julius
Freund
Ed. Bote & G. Bock, Berlin 1907
Lithographie in Rot, Blau und Hellbraun
bezeichnet: Leonard
Drucker: Lith. Anst. v. C. G. Röder, Leipzig

Die eigentlichen Traumfabriken vor dem Durchbruch des Kinos waren
in den Jahren nach 1900 die großen Revuen, die ein erstaunlich vielsei-
tiges Programm boten. Pompöse Ausstattungen verdeckten die oft
inhaltlich dünnen Handlungsabläufe.
Der Graphiker Leonard gab dem abgebildeten Pagen des Metropol-
Theaters die Gesichtszüge des damaligen Berliner Operettenlieblings
Guido Thielscher, der auch in vielen humorvollen Jahresrevuen schwa-
che Inhalte durch seinen persönlichen Aufführungsstil vergessen ließ.

Metropol Theater.

Das muss man seh'n!

Revue von
Julius Freund

MUSIK von
Victor Hollaender.

Für Gesang:

1. Annemarie. (Sol-
   datenlied) . . . 1,50 no.
2. Karl der Große . . 1,50 no.
3. Die Herzen von
   Berlin . . . . 1,50 no.
4. Die Leute vom
   Kurfürstendamm . 1,50 no.
5. Baby-Duett . . . . 1,50 no.
6. Onkel Eduard . . . 1,50 no.
7a. Märchen und
    Träume. Hoch . 1,50 no.
7b. Märchen und
    Träume. Tief . . 1,50 no.
8. Bummelkompagnon 1,50 no.
9. Vor'm Affenhaus . 1,50 no.
10. Pfeif-Lied . . . . . 1,50 no.
11. Metropolinchen . . 1,50 no.
12. Der Messias von
    Dar-es-Salaam . 1,50 no.

Für Klavier:

1. Potpourri . . . . 3,— no.
2. Berliner Winter-
   märchen-Walzer . 2,— no.
3. Reichstags-Marsch 1,50 no.
4. Kleine Montecarli-
   nette-Rheinländer 1,50 no.
5. Das ist Berlin!
   Polka . . . . 1,50 no.

Eigentum der Verleger für alle Länder.   Aufführungsrecht vorbehalten

ED. BOTE & G. BOCK, BERLIN.

Leonard

Lith. Anst. v. C.G. Röder G.m.b.H. Leipzig.

anonym
Red Wing (Rotfeder) Indianisches Intermezzo von Kerry Mills
C. M. Roehr, Berlin 1907
Lithographie in Rot, Gelb und Blau
ohne Bezeichnung
Drucker: Berliner Musikalien Druckerei, Berlin

Die Farbigkeit dieses Titels, mit nur drei Druckgängen erzielt, ist beachtenswert. Indianerdarstellungen waren in der populären Druckgraphik Europas zu jener Zeit äußerst selten anzutreffen. Auch die Kunstgraphik des Jugendstils kannte noch keine der später selbstverständlich gewordenen Darstellungen mit Motiven von Naturvölkern.

INDIANISCHES
INTERMEZZO;
VON
**KERRY
MILLS**

Componist von
"CAMP MEETING"
"WHISTLING RUFUS"
"HAPPY DAYS IN DIXIE"
etc.

Red Wing

(Rotfeder)

AUSGABEN

FÜR KLAVIER   M 1.60
  UND GESANG
  2 VIOLINEN UND KLAVIER
  8 MANDOLINEN
  MANDOLINE UND KLAVIER
  SOLO
VIOLINE MIT KL. OD. MANDOLINE
ZITHER SOLO
2 ZITHERN
GROSSES ORCHESTER
SALON ORCHESTER
INFANTERIE-MUSIK
CAVALLERIE
KLAVIER 4 HDE.

C. M. ROEHR, BERLIN W.
MAUERSTRASSE 76.
F. A. MILLS, NEW-YORK.

Xiró
Lèvres adorées, Walzer von Cliffton Worsley
Dessy S. en C., Barcelona 1907
Lithographie in Zinnober, Gelb, Hellgrün, Grau und Braun
bezeichnet: Xiró
Drucker: Lit. Barral, Barña

Dem Titel, zu deutsch: Angebetete Lippen, gibt Xiró durch die sparsame Anwendung und gekonnte Auswahl der Farben in dem weiblichen Antlitz einen Hauch von unwirklicher Glückseligkeit und traumhaftem Optimismus.

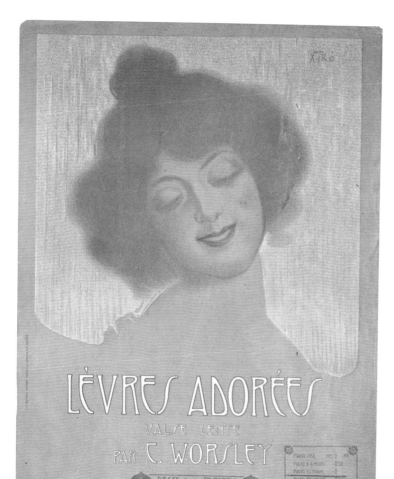

LÈVRES ADORÉES

VALSE LENTE

PAR C. WORSLEY

DESSY sénc EDITORES
PASEO DE GRACIA, 5 BARCELONA

anonym
Regina-Gavotte von Hermann Wenzel
Fr. Portius, Leipzig 1908
Lithographie in Karmin, Ocker und Dunkelblau
ohne Bezeichnung
Drucker: Lith. Anst. v. C. G. Röder, Leipzig

Bei dieser Lithographie wird deutlich, daß mit einem attraktiven Sujet fast immer eine positive Werbewirkung erzielt wird; die präsentierten Produkte bzw. Musikstücke sind dabei beliebig auszuwechseln.

Regina-Gavotte

für Pianoforte
komponiert von

Hermann Wenzel

Op. 452.

Eigentum des Verlegers.
LEIPZIG, FR. PORTIUS.

Pr. M.1.—

Paul Schneider
Hupf mein Mäderl (Yip-I-addy-I-ay), Lied von John H. Flynn, Text
von Will. D. Cobb
Chappell & Co., London 1908
Lithographie in Grau, Rosa und Umbra
bezeichnet: P. Sch.
Drucker: Lith. Anst. v. C. G. Röder, Leipzig

Diese musikalische Einlage aus der ursprünglich englischsprachigen
Operette «Miss Gibbs» wurde von dem Verleger für den deutschsprachigen Raum mit einer neuen Titeldarstellung ausgestattet. Oftmals kamen jedoch auch die Originaltitel in den Umlauf, die man lediglich mit
deutschen Texten versah.

Einlage der Operette
•MISS GIBBS•

HUPF MEIN MÄDERL

(Yip·J·addy·J·ay.)

LIED VON WILL D. COBB.

Deutscher Originaltext
von
CARL LINDAU.

MUSIK
VON
JOHN H. FLYNN.

Für Gesang und Klavier mit deutschem Text . . . M. 2,— no.	**Walzer.** Für großes und kleines Or- chester . . M. 2,— no. Für Pariser Besetzung:
Für Gesang und Klavier mit englischem Text . . . M. 2,— no.	Klavier- und Harmonium- Stimme à M.—,80 no. Jede Instrumental-Stimme à M.—,20 no.
Für Gesang und Klavier mit ungarischem Text . . . M. 2,— no.	Für Infanteriemusik M. 4,— no. Für Blechmusik M. 3,— no.
Für Zither . M. 1,20 no.	Für Klavier . M. 2,— no. Für Klavier und Violine
Für Schrammel-Quartett M. 1,— no.	Für Violine solo
Für Cymbal . M. 1,70 no.	**Two Step** (Polka). Für großes und kleines Or- chester . M. 2,— no. Für Klavier . M. 2,— no.

Für Deutschland Oesterreich-Ungarn und die Deutsche Schweiz
ADOLPH FÜRSTNER, BERLIN W.
Copyright U.S.A. MCMVIII. by WILL D.COBB • Copyright U.S.A. MCMIX by CHAPPELL & Co. Ltd.

CHAPPELL & Co. Ltd., LONDON W.

Paul Telemann
Schlager von Walter Kollo
Verlag Harmonie, Berlin 1909
Lithographie in Karmin und Schwarz
bezeichnet: Telemann
ohne Druckernachweis

Telemanns Kollo-Titel zeigt, daß nicht nur für jeweils ein Werk, z. B.
eine Oper, Operette, ein Lied usw. bei Erscheinen der Entwurf eines
neuen Titelblattes in Auftrag gegeben wurde, sondern ein und derselbe
Titel auch für wechselnde Kompositionen Verwendung fand, so der vorliegende bei 17 verschiedenen bekannten Kompositionen von Walter
Kollo. Wie man sieht, wurden Erfolgsstücke bereits um 1900 als
«Schlager» angeboten.

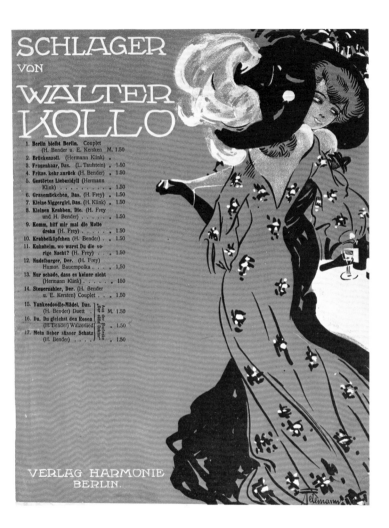

anonym
Valse Boston aus dem Ballett «Les Millions D'Arlequin» von Richard Drigo
J. H. Zimmermann, Leipzig 1909
Lithographie in Zinnober, Helloliv und Schwarz
ohne Bezeichnung
Drucker: Lith. Anst. v. C. G. Röder, Leipzig

Das vorliegende Titelblatt ist ein gutes Beispiel für die im Jugendstil oft anzutreffende Schrift- und Bildgestaltung. Viele Künstlerschriften, die Gebrauchsgraphiker im Jugendstil entwickelt haben, werden noch heute in verschiedenen Bereichen der Druckkunst eingesetzt. Jedoch sind, von einigen berühmten Graphikern abgesehen, die Mehrzahl der Notentitelgestalter und ihre Schrift-Kreationen anonym geblieben.

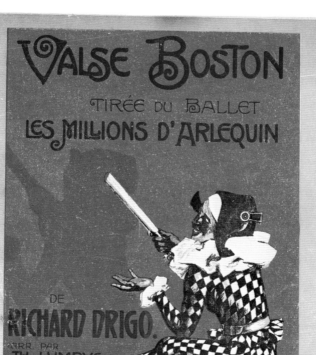

anonym (Telemann?)
Die Notenrolle, Chanson von Otto Weber, Text von Ernst Lederer
Anton J. Benjamin, Hamburg 1910
Lithographie in Zinnober, Blaßorange, Braunviolett und Schwarz
ohne Bezeichnung
Drucker: Lit. v. F. M. Geidel, Leipzig

Das gelungene Titelblatt zeigt alle Merkmale von Telemanns graphischer
Meisterschaft; vielleicht hat Paul Telemann in diesem Fall aus ver-
traglichen Gründen auf eine Bezeichnung seines Entwurfes verzichtet.

Alfred Keller
Lieder und Gesänge von Joseph Marx, Nr. 21 «Septembermorgen»,
Text von Eduard Mörike
Schuberthaus-Verlag, Wien und Leipzig 1910
Lithographie in Blau, Grün, Grau, Schwarz und Gold
bezeichnet: gez. und lith. von Alfred Keller
Drucker: Christoph Reisser's Söhne, Wien

Joseph Marx vertonte das Gedicht «Septembermorgen» von Eduard
Mörike, in dem es heißt:
   Im Nebel ruht die weite Welt, und träumt von Wald und Wiesen:
   Bald siehst du, wenn der Schleier fällt, den blauen Himmel
   unverstellt,
   Herbstkräftig die gedämpfte Welt im warmen Golde fließen.
Obwohl der Titel wie für die Vertonung von Mörikes Gedicht geschaf-
fen erscheint, diente dieselbe Ausstattung noch über zwanzig weiteren
Liedern von Joseph Marx (1882–1964), der durch Vertonung naturhaf-
ter Lyrik bekannt wurde.

JOSEPH MARX

LIEDER und GESÄNGE

SEPTEMBERMORGEN

Nr. 21   M. 1,20 n.

SCHUBERTHAUS-VERLAG

WIEN   LEIPZIG

GEZ. UND LITH. VON ALFRED KELLER   GEDR. BEI CHRISTOPH REISSER'S SÖHNE, WIEN V

Paul Telemann
Neues aus Rudolph Nelson's Cabaret «Chat Noir»
Verlag Harmonie, Berlin ohne Jahr (um 1910)
Lithographie in Grau und Rosa
bezeichnet: Telemann
Drucker: Lit. v. F. M. Geidel, Leipzig

Mit dem Namen Paul Telemanns ist auch der witzige, ideenreiche Notentitel verbunden. Nüchtern sachlich und mit pfiffigem Ulk hat er den vorliegenden Rahmentitel zu Rudolph Nelsons Berliner Kabarett entworfen, dessen Name zu deutsch «Schwarze Katze» hieß.

NEUES AUS RUDOLPH NELSON'S
CABARET „CHAT NOIR"

DER ALTE FAUN — TEXT VON EDDY BEUTH PR.M.1.50

DER GLOCKENHUT — TEXT VON O.A.ALBERTS PR.M.1.50

DER SEKRETÄR — TEXT VON O.A.ALBERTS PR.M.1.50

DAS LADENMÄDEL — TEXT VON WILLY WOLFF PR.M.1.50

CAKE WALK DUETT — TEXT VON WILLY WOLFF PR.M.1.50

DER WALZER — TEXT VON HERMANN KLINK PR.M.1.80

VERLAG „HARMONIE" BERLIN W.

Telemann

Lith F. M. Geidel Leipzig

Paul Telemann
Auf der Liebesschaukel, Duett von Walter Kollo, Text von
O. A. Alberts
Verlag Harmonie, Berlin 1910
Lithographie in Rot und Schwarz
bezeichnet: Telemann 10 (= 1910)
Drucker: Lith. Anst. v. C. G. Röder, Leipzig

Ob Feder-, Pinsel-, Kreide- oder Flächenlithographie in positiver und negativer Drucktechnik, Telemann besaß die Fähigkeit, auch mit sparsamer Farbanwendung effektvolle Notentitel zu entwerfen.

D. Vigny
Josephine, Intermezzo von Arnold Blomé
Bosworth & Co., Leipzig 1910
Lithographie in Hellrot, Gelb und Schwarz auf rosafarbigem Papier
bezeichnet: D Vigny
ohne Druckernachweis

Das Titelblatt zeigt eine eigenwillig gekleidete Halbweltdame vor spär-
lich angedeuteter, nüchterner und abweisender Großstadtkulisse. Erst
durch Vignys Zeichnung wird die Komposition in einen sozialen Zusammenhang gestellt. Die schemenhafte Staffage läßt auf Isolation und
Fremdheit schließen und erinnert an die zur gleichen Zeit von Ernst
Ludwig Kirchner gemalten Straßen-Gemälde.

Josephine
Intermezzo
Arnold Blomé
Pianoforte Pr. M. 1.50 2/_ net
Orchester " " 1.50
Salonorchester " " 1.20
D. Vigny
BOSWORTH & Co
LONDON, W. WIEN I.
ZÜRICH LEIPZIG. PARIS
NEW YORK.
Publ. by Bosworth & Co, Leipzig

Paul Telemann
Ich sende diese Blumen dir, Lied von Friedrich Wagner, Text von
A. Kühne
Richard Birnbach, Berlin ohne Jahr (um 1910)
Lithographie in Umbra gebrannt
bezeichnet: Telemann
ohne Druckernachweis

Wie der vorliegende Notentitel wurden preiswertere Volksausgaben mit
nur einer Farbe lithographiert, wodurch Telemanns besonderer Stil
nicht im geringsten an Ausdrucksstärke verliert.

Ich sende diese Blumen dir

Blumen dir

LIED

VON

FRIEDRICH WAGNER

RICHARD BIRNBACH
BERLIN
SCHÜTZENSTR
6

NO. 13
BIRNBACH'S
VOLKSAUSGABE

Ernst Deutsch
Black and White – Schwarz und Weiß, Humoreske von
George Botsford
Bosworth & Co., London und Leipzig 1908
Lithographie in Zinnober und Schwarz
bezeichnet: Deutsch 11 (= 1911)
ohne Druckernachweis

Ernst Deutsch (geb. 1883) zählte vor 1914 zu den gefragtesten Rekla-
me-Künstlern in Berlin und Wien. Als Meister dieser Sparte sprach er
mit seinen Entwürfen überwiegend snobistische Gesellschaftskreise an
und erhielt auch entsprechende Aufträge von Herstellern modischer
Luxusartikel und Besitzern extravaganter Vergnügungsbetriebe. Der
abgebildete Notentitel entspricht den Merkmalen seines Schaffens und
zeigt einen reizvoll galanten Sofa-Flirt in Black und White.

Black and White
Humoreske v. George Botsford
Schwarz und Weiss
Tous droits d'exécution réservés
Propriété des éditeurs pour tous pays.
Bosworth & Co.
Leipzig. Wien. London. Brüssel. New York.
Propriété pour la France et la Belgique
Bosworth & Co., Bruxelles
AUSGABEN
Piano .... RM 1.80 no.
Orchester .... „ 3.— „
Salon-Orchester ... „ 1.80 „

Paul Telemann
Eva-Walzer von Jean Gilbert aus der Operette «Die moderne Eva» von
G. Okonkowsky und Alfred Schönfeld
Bühnenverlag Ahn & Simrock, Berlin 1911
Lithographie in Zinnober, Gelb und Grau
bezeichnet: Telemann
Drucker: C. G. Röder, Leipzig

Mit Witz und Ironie nimmt Telemann zu der damals bereits aktuellen
Gleichberechtigungsfrage Stellung. Zu einer Zeit, als englische Suffra-
getten in aller Munde waren und in ganz Europa Kränzchen emanzi-
pierter Damen gebildet wurden, tanzt Eva auf diesem Titelblatt nicht
als Gejagte, sondern als Jägerin mit ihrer Beute aus dem ovalen Bildfeld
hinaus.

TELE-
MANN
EVA
WALZER
aus: „Die moderne Eva" Operette in 3 Akten
von G. OKONKOWSKY und A. SCHÖNFELD
Musik von
Jean Gilbert
Pr. M. 2.—
EIGENTUM FÜR ALLE LÄNDER
BÜHNENVERLAG AHN & SIMROCK G.M.B.H. BERLIN.
AUFFÜHRUNGSRECHT VORBEHALTEN.
COPYRIGHT 1911 BY BÜHNENVERLAG AHN & SIMROCK G.m.b.H. BERLIN.
Einzelausgaben siehe Rückseite

Julius Klinger
Rund um die Alster, Humoristisch-satyrische Revue, Musik von Rudolf
Báron, Text von Alfred Müller-Förster und Josef Bendiner
Louis Oertel, Hannover 1911
Lithographie in Zinnober, Blaßorange, Ocker, Gelb, Blau, Grün, Blaß-
oliv, Hellbraun und Schwarz
bezeichnet: Klinger
Drucker: Hollerbaum & Schmidt, Berlin

Julius Klinger (1876–1950), der in den ersten Jahrzehnten unseres
Jahrhunderts zu den führenden Berliner Gebrauchsgraphikern gehörte,
offenbart die vielgerühmte Farbigkeit seiner Plakate auch in seinen
Notentiteln. Mit schwungvoller Linie stellt der gebürtige Wiener Volks-
tümliches neben Snobistisches, was in dieser Revue als typisch für
Hamburg dargestellt wird.

Für Gesang:

1. Et geiht nix över de Hamborger Deern   M. 1.50 n.
2. Wir sind ein paar Hamburger Jungs   M. 1.50 n.
3. Hammonia und Gardeleutnant   M. 1.50 n.
4. Jungfernstieg – Walzer   M. 1.50 n.
5. Die Lüttmaid   M. 1.50 n.
6. Nich ???   M. 1.50 n.
7. Das gefährliche Alter   M. 1.50 n.
8. Lied vom alten Michel   M. 1.50 n.
9. Junge, Junge kiek dir mal die Schraube an   M. 1.50 n.

Text von Alfred Müller-Förster
und Josef Bendiner
Musik von
RUDOLF BARON

Für Klavier:

Potpourri   M. 2. – n.
Jungfernstieg – Walzer   M. 1.50 n.
Wir sind ein paar Hamburger Jungs   M. 1.50 n.

Eigentum des Verlegers für alle Länder
LOUIS OERTEL Hannover
Copyright by Louis Oertel 1911.

Öffentliches Aufführungsrecht vorbehalten.

HOLLERBAUM & SCHMIDT · BERLIN N 65

Paul Telemann
Hanserl Walzer von Victor Jacobi
Rózsavölgyi & Co., Budapest und Leipzig
Lithographie in Rot, Ocker, Grau und Schwarz
bezeichnet: Telemann 1912
Drucker: Röder C. G., Leipzig-Budapest

Telemanns Notentitel für einen ungarischen Verlag zeugt von der internationalen Zusammenarbeit nicht nur der Verleger, sondern auch der Graphiker und Druckereien. Jedoch war Leipzig durch die dort ansässige Lithographische Anstalt von C. G. Röder unumstritten das Zentrum des Notendruckes in Deutschland und darüber hinaus.

Hanserl Walzer
VON
VICTOR JACOBI
PREIS M 1,50 NETTO
ORCHESTER-ARRANGEMENTS VORHANDEN
1912
RÓZSAVÖLGYI & CO. KAIS. U. KÖN. HOF MUSIKALIENHANDLUNG BUDAPEST UND LEIPZIG

Erich Gruner
Pierrot und Pierrette, Faschingswalzer von Franz Lehár
C. F. W. Siegel's Musikalienhandlung, Leipzig 1912
Lithographie in Rosa, Krapplack, Blaßorange und Schwarz
bezeichnet: Erich Gruner-Leipzig
ohne Druckernachweis

Der Graphiker, Buchkünstler, Maler und Kunstgewerbler Erich Gruner (geb. 1881) war nach dem Studium an der Leipziger Akademie von 1930–1946 Leiter der Kunstgewerbeschule in Leipzig, die für das Zentrum deutschsprachiger Verlagserzeugnisse auf dem Gebiet der Buchausstattung Bedeutung hatte.

Franz Lehár (1870–1948), Mitschöpfer der neuen Wiener Operette, feierte mit «Die lustige Witwe» erste große Erfolge und schuf insgesamt über dreißig Operetten.

Pierrot u. Pierrette

Faſchingswalzer v. Franz Lehár

Für Klavier   Preis: 2 Mk.

Aufführungsrecht vorbehalten · Eigentum des Verlegers für alle Länder.

Leipzig · C.F.W.Siegel's Muſikalienhandlung (R.Linnemann)

15480

anonym (Wolf?)
Auf der Reeperbahn nachts um halb eins, Walzerlied von Ralph Arthur
Roberts
Heinrich Kreisler & Co., Hamburg 1912
Lithographie in Orange, Blau und Helloliv
ohne Bezeichnung
ohne Druckernachweis

Das bereits 1912 komponierte Walzerlied wurde Jahrzehnte später
durch die Interpretation von Hans Albers in dem 1944 von Helmut
Käutner gedrehten Spielfilm «Große Freiheit Nr. 7» zu einem unver-
gessenen Erfolg.

Paul Telemann
Anna, was ist denn mit Dir? Walzer aus der Operette
«Der liebe Augustin» von Leo Fall
Harmonie-Verlag und Drei-Masken-Verlag, München 1912
Lithographie in Zinnober, Krapplack, Schwarz und Gold
bezeichnet: Telemann
Drucker: Lith. Anst. v. C. G. Röder, Leipzig

«Wo steht denn das geschrieben, du sollst nur eine lieben. Man
schwärmt ja oft für mehrere, für Leichtere für Schwerere», beginnt
ein anderer, heute noch bekannter Schlager derselben Operette von
Leo Fall (1873–1925), die im Milieu des bankrotten balkanesischen
Kleinadels spielt.

ANNA, WAS IST DENN MIT DIR?

WALZER a.d. OPERETTE „DER LIEBE AUGUSTIN"

VON LEO FALL.

HARMONIE-VERLAG G.M.B.H. X DREI MASKEN-VERLAG G.M.B.H., MÜNCHEN, KARLSSTR. 21.

anonym
Puppchen, du bist mein Augenstern. Marsch-Intermezzo von Jean
Gilbert aus «Puppchen», große Posse mit Gesang und Tanz
Texte von Jean Kren und Kurt Kraatz, Gesangstexte von Alfred
Schönfeld
Thalia-Theater-Verlag, Berlin 1912
Lithographie in Blau, Braun und Schwarz
ohne Bezeichnung
Drucker: Berliner Musikalien Druckerei, Berlin

Dieser wie der folgende Titel galten Erfolgsnummern aus dem Reper-
toire des Thalia-Theaters, Berlin; sie erschienen im theatereigenen
Verlag.

Repertoir des Thalia-Theaters-Berlin.

Puppchen!

Große Posse
mit Gesang u. Tanz
in 3 Akten von
Jean Kren und **Kurt Kraatz.**

Gesangstexte von
Alfred Schönfeld.

Musik von
JEAN GILBERT.

No 7.

„Puppchen,
du bist mein Augenstern".

MARSCH–INTERMEZZO

Mk. 1,80

Thalia-Theater-Verlag
Berlin S. 14 Dresdnerstr. 72/73
Verlag und Eigentum für Russland: P. NELDNER, RIGA.
VERTRETUNGEN
Frankreich u. Kolonien, Belgien, Franz. Schweiz u. Monaco. MAX ESCHIG, 13, Rue Lafitte, PARIS
Großbritannien und Vereinigte Staaten von Nordamerika A.H. QUARITCH, LONDON
Dänemark und Norwegen WILHELM HANSEN KOPENHAGEN
Schweden CARL GEHRMANS MUSIKFÖRLAG STOCKHOLM
Ungarn ZIPSER & KÖNIG, BUDAPEST
Rumänien N. MISCHONZNIKY, BUKAREST.

anonym
Das haben die Mädchen so gerne, Marsch-Intermezzo von Jean Gilbert
aus der Posse «Autoliebchen» von Jean Kren, Gesangstexte von Alfred
Schönfeld
Thalia-Theater-Verlag, Berlin 1912
Lithographie in Hellrot, Oliv und Schwarz
ohne Bezeichnung
Drucker: Berliner Musikalien Druckerei, Berlin

Der in Hamburg geborene Jean Gilbert (Pseudonym für Max Winterfeld) komponierte bis 1925 nicht weniger als 57 Bühnenwerke. Zusammen mit Paul Lincke, Victor Hollaender, Rudolph Nelson und Walter
Kollo zählte Jean Gilbert (1879–1942) zu den Großen des populären
Musikschaffens in Berlin zu Beginn des 20. Jahrhunderts.

Paul Telemann
El Choclo, Argentinischer Original Tango von A. G. Villoldo
Otto Junne, Leipzig ohne Jahr (um 1910)
Lithographie in Zinnober, Hellorange und Schwarz
bezeichnet: Telemann
Drucker: Lit. v. F. M. Geidel, Leipzig

Der als argentinischer Original Tango bezeichnete Tanztitel stellt eine
zuerst um 1910 von Rodriguez vorgenommene Verschmelzung der älte-
ren kubanischen Habanera mit der argentinischen Milonga dar.

Argentinischer Original Tango

LE VRAI TANGO ARGENTIN
(EL CHOCLO)
MIT TANZBESCHREIBUNG.

FÜR SALONORCHESTER MK 3 . NETTO
Alle Rechte, auch Aufführungsrecht vorbehalten
OTTO JUNNE, LEIPZIG.
EDOUARD SALABERT, PARIS.

1.90

Lith F.M. Geidel, Leipzig

Paul Schneider
Musikalisches Wettrennen! Potpourri zusammengestellt von
Paul Lincke
Apollo-Verlag, Berlin 1913
Lithographie in Hellgrün, Orange und Preußischblau
bezeichnet: P. Sch.
Drucker: Lith. Anst. v. C. G. Röder, Leipzig

Der Graphiker dieses Blattes gehörte zu den Erfolgreichen auf diesem
Gebiet in der Zeit vor dem Ersten Weltkrieg. Paul Schneider, der auch
durch Steindrucke von Städte- und Landschaftsserien bekannt wurde,
schuf über hundert mit den Initialen P. Sch. bezeichnete Musiktitel.
Zuletzt ansässig in Leipzig, starb Schneider im Kriegsjahr 1916. Seine
Entwürfe enthalten für seine Zeit keinesfalls übliche kontrastreiche
Assoziationen zum musikalischen Inhalt.
   Paul Lincke (1866–1946) war Kapellmeister, Leiter des Berliner
Apollo-Theaters, Musikverleger und gilt mit seinen Kompositionen als
Hauptvertreter der Berliner Operette.

Musikalisches Wettrennen!

Großes lustiges
POTPOURRI
zum Mitsingen
zusammengestellt von

PAUL LINCKE

Nº	Es laufen:	Komponist-Jokai:	Verlagsgestüt:
1	Rennbahn-Galopp	PAUL LINCKE	Apollo-Verlag
2	Auf's Pferd	JACOB ZAHN	Nachdrucker & Cie
3	Goldener Leichtsinn	CH. ALFREDI	Roland-Verlag
4	Autoliebchen	JEAN GILBERT	Thalia-Theater-Verlag
5	Grigri I	PAUL LINCKE	Apollo-Verlag
6	Die Liebeslaube	CARL HOSCHNA	" "
7	Vive l'amour	PAUL LINCKE	" "
8	Latemchen	" "	" "
9	Mariechen	STERNY-COURQUIN	" "
10	Vogerl fliegst	ALEX. HORNIG	Verlag Josef Blaha
11	Malongo vom Kongo	RUD. NELSON	Drei Masken-Verlag
12	Schattenspiele	HERRMANN FINK	Apollo-Verlag
13	Niggergirl	WALTER KOLLO	Harmonie-Verlag
14	Nachtluft	SAM GROSS	Apollo-Verlag
15	In der Nacht	JEAN GILBERT	Ahn und Simrock
16	Kind, ich schlafe so schlecht	WALTER KOLLO	Drei Masken-Verlag
17	Grigri II	PAUL LINCKE	Apollo-Verlag
18	Dingerchen	JEAN GILBERT	Ahn und Simrock
19	Melodien-Rennen	VERSCHIED. KOMPONISTEN	Potpourri-Edition
20	Puppchen	JEAN GILBERT	Thalia-Theater-Verlag

Piano 2.
Kleines Orchester 1.70 α.
Salon-Orchester 3.—
Streich Orchester 5.—
Infanterie-Musik 5.—
Cavallerie-Musik 4.—

Nachdruck verboten
auf dem musikalischen Bühnengesetz
vom 20. März 1901.

Alle Vervielfältigungs- Aufführungs u. Arrangementsrechte vorbehalten
Eigentum für alle Länder

APOLLO-BERLIN-VERLAG

Vertretungen:

Vertretungen:

Paul Telemann
Die wilde Frau, Chanson von Harry Waldau
Drei-Masken-Verlag, Berlin und München 1912
Lithographie in Violett und Schwarz
bezeichnet: Telemann
Drucker: C. G. Röder, Leipzig

Der vielseitige und in seiner Technik wandlungsfähige Telemann gibt in
ornamentaler Vereinfachung eine Dreiergruppe wieder, die als Chan-
son-Rahmentitel zu Waldau-Stücken und auch anderen Kompositionen
in verschiedenen Farben gedruckt wurde. Die Linienführung der sich
wiederholenden Stilelemente erinnern an die künstliche Formauflösung
der Sezessionisten in Wien und das Kunstgewerbe der Wiener Werk-
stätten.

DIE WILDE FRAU

CHANSON

WORTE UND MUSIK VON

HARRY WALDAU

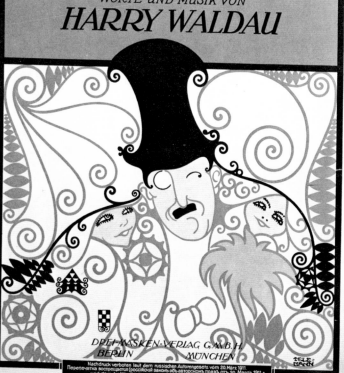

DREI-MASKEN-VERLAG G.M.B.H.
BERLIN   MÜNCHEN

B. Vigny
Servus Du . . ., Chanson von Robert Stolz, Text von Benno Vigny
Adolf Robitschek, Wien 1912
Lithographie in Rot, Blau, Graugrün und Schwarz
bezeichnet: B. Vigny 1912 in Léronville
Drucker: Lith. Anst. v. C. G. Röder, Leipzig

«Servus Du» ist eines der ersten berühmten Chansons von Robert Stolz (1880–1975) und erzählt die Geschichte eines verlassenen Mädchens, das seinen Geliebten aus Eifersucht tötet. Robert Stolz komponierte im Laufe seines langen Lebens mehr als 1200 Lieder und Schlager, überwiegend im leichten wienerischen Ton.

SERVUS DU...

Chanson

Text von BENNO VIGNY.

MUSIK
von

ROBERT STOLZ

Opus 102.

Pr. Mk. 2._no.

DEN BÜHNEN GEGENÜBER MANUSCRIPT

Text und Musik Eigentum des Verlegers für alle Länder.
Aufführungs- & Übersetzungsrecht vorbehalten.
Mit Vorbehalt aller Arrangements.

ADOLF ROBITSCHEK
K. u. K. Hofmusikalienhändler

WIEN   LEIPZIG
I, Graben 14.   Salomonstr. 16.

A. R. 4919.

LITH ANST W.C.G.RÖDER G.M.B.H. LEIPZIG.

Hans Fritsch
Tango-Abende im Tango-Klub
Carl Rühle's Musik-Verlag, Leipzig 1913
Lithographie in Orange, Grün und Schwarz
bezeichnet: H. Fritsch.
ohne Druckernachweis

Als ab 1910 der Tango in Europa bekannt wurde, brach zunächst ein Sturm moralischer Entrüstung aus. Obwohl Habanera-Melodien den Rhythmus des Tangos schon zuvor vertraut gemacht hatten, wurde die betonte Synkopisierung der Geh- und Seitwärtsschritte mit den faszinierenden tänzerischen Akzentuierungen abgelehnt.

Paul Telemann
Peterchens Mondfahrt, Märchenspiel von Clemens Schmalstich, Text
von Gerdt von Bassewitz
Richard Birnbach, Berlin 1920
Lithographie in Zinnober, Krapplack, Gelb, Grün und Schwarz
bezeichnet: Telemann 1.9.1.3
Drucker: Berliner Musikalien Druckerei, Berlin

Telemanns geschickt nuancierter Märchenspiel-Notentitel läßt auch
eine spezifische Fähigkeit zur Buchillustration erkennen, die er in illu-
strierten Broschüren und auch Kinderbüchern bewies.

Paul Telemann
Karline, komm' nach Pankow – Dort tanzen wir 'mal Tango. Tanz-Couplet
von Erich Seifert, Text von Paul Preil
Otto Teich, Leipzig 1913
Lithographie in Krapplack, Orange, Grau und Schwarz
bezeichnet: Telemann 13. (= 1913)
Drucker: Lit. v. F. M. Geidel, Leipzig

Couplets sind witzige Bühnenliedchen mit Refrain. Sie wurden von
Vortragskünstlern in den darauf spezialisierten Gaststätten zwischen
Zauber- und Artistennummern gesungen. Die Sänger oder auch Humoristen genannten Kleinkünstler wechselten unter Umständen am
gleichen Abend mehrmals das Auftrittslokal, um möglichst viel Publikum
erreichen zu können.

Rob
Hors d'Œuvre, Foxtrott von David Comer
B. Feldmann & Co., London 1915
Lithographie in Ocker und Schwarz
bezeichnet: Rob 13 (= 1913)
ohne Druckernachweis

Nach dem Cake Walk, dem Boston und dem Tango verbreitete sich ein
weiterer Gesellschaftstanz, der um 1912 in den Vereinigten Staaten
kreierte Foxtrott. Er wurde in verschiedenen Versionen getanzt.

Egon Sternfeld
Kinozauber, Walzerlied von Robert Stolz, Text von Leopold Wertheim
Bosworth & Co., Leipzig 1913
Lithographie in Grau, Hellkrapplack und Ocker
bezeichnet: Egon Sternfeld
ohne Druckernachweis

Bevor Robert Stolz in späteren Jahren an 85 Tonfilmen mitwirkte, komponierte er in den Zeiten des Stummfilms dieses humorvolle Chanson vom Kino, das «wie für Verliebte gemacht» ist. Das Lied ist «Fräulein Anny Bauer, der reizenden Künstlerin im ‹Simplizissimus› in Wien» gewidmet.

Paul Telemann
Der Juxbaron, Operette von Walter Kollo, Text von Pordes-Milo und
Hermann Haller, Gesangstexte von Willi Wolff
Drei-Masken-Verlag, München und Berlin 1913
Lithographie in Hellbraun, Blaugrau und Schwarz
bezeichnet: Telemann
Drucker: Breitkopf & Härtel, Leipzig

Paul Telemann ist wie viele seiner Zeitgenossen keiner Kunst- und Gra-
phikströmung zuzuordnen. Seine sauber ausgebildeten Schriftentwürfe,
wie die vorliegende verschlungene Typographie zeigt, sind von zeitloser
Intensität.

Bombach
Mystery, Valse orientale von Sydney Baynes
Swan & Co., London 1914
Lithographie in Karmin, Ocker und Schwarz
bezeichnet: Bch.
Drucker: Dr. Rokotnitz, Berlin

Dieser Notentitel veranschaulicht, wie die Gebrauchsgraphik des Jugendstils zeitnahe Bezüge widerspiegelt. Die im Profil und orientalischem
Kostüm gezeigte mysteriöse Schönheit steht wohl in einer im einzelnen
heute nicht leicht aufzuklärenden Beziehung zu einem Stummfilmstar.
So dürfte sich der senkrecht verlaufende Filmstreifen erklären.

Mystery

Valse orientale

Piano Mk
Sal.Orch. Mk

composed by Sydney Baynes

(composer of Destiny, Ecstasy, Frivolry Harmony)

EDITION ROEHR

Alleinige Auslieferung für Deutschland, Deutsch-Oesterreich, Ungarn, Polen, S.H.S., Tschecho-Slovakei, Finnland u. Rumänien:

C. M. ROEHR, Berlin W. 66, Mauerstr. 76.
Original-Verlag: SWAN & Co., London W.

Dieses Exemplar darf nur in den oben angeführten Ländern verkauft werden. Diesbezügliche Uebertretungen werden strafrechtlich verfolgt.

Dr. Rebetzliz, G. m. b. H. Berlin S.O.26

anonym
Der Foxtrott-Rummel. Übermütige Streiflichter in Wort und Ton von
und nach Carl Marx
Gustav Richter, Leipzig ohne Jahr (um 1914)
Lithographie in Ocker, Karmin und Schwarz
ohne Bezeichnung
Drucker: F. M. Geidel, Leipzig

Die den Noten beigefügte Anweisung für den Vortrag lautet: «Das
ganze Couplet flott, das Lachen nach jedem Refrain recht laut und
übermütig. Parodistische, ulkige Tanzbewegungen à la Foxtrott beim
Vortrag, namentlich während des Refrains und der anschließenden
Zwischenmusik, steigern die Wirkung noch ganz besonders.»

Viktor Arnaud
Die Fahrt in's Glück, Operette von Franz Arnold und Ernst Bach,
Musik von Jean Gilbert
Drei-Masken-Verlag, Berlin und München 1916
Lithographie in Ocker, Karmin und Schwarz
bezeichnet: V. Arnaud.
Drucker: Breitkopf & Härtel, Leipzig

Viktor Arnaud (geb. 1890) war Schüler von Martin Brandenburg und
Lovis Corinth. Seine ersten Plakate fallen in die Zeit des Ersten Weltkriegs, wie auch dieser Notentitel zur Operette «Die Fahrt ins Glück».
Die Wirklichkeit sah für viele Soldaten im Kriegsjahr 1916 ganz anders
aus.

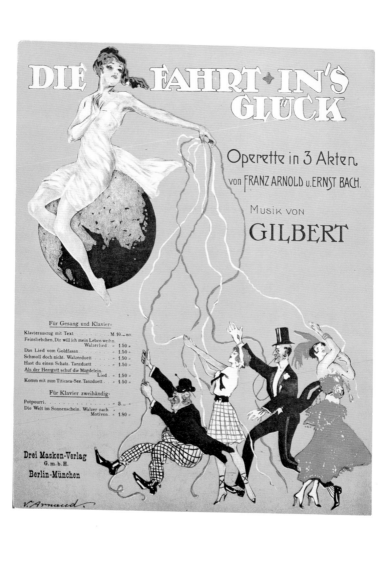

Ilna Ewers-Wunderwald
Die toten Augen, Oper von Eugen d'Albert
Ed. Bote & G. Bock, Berlin 1916
Federlithographie in Rot und Schwarz
bezeichnet: E W
Drucker: Oscar Brandstetter, Leipzig

Ilna Wunderwald, 1878 in Düsseldorf geboren, wurde durch ihre sublimen, farblich gehöhten Federzeichnungen bekannt. Als Gattin des Schriftstellers Hanns Heinz Ewers, bekannt durch den Roman «Alraune», war ihre Phantasiewelt die ideale Ergänzung zu seinen fantastisch-surrealen Werken. Ewers war auch an der Bühnendichtung beteiligt, die das Schicksal einer schönen Römerin zum Inhalt hat. Das Titelblatt zeigt, wie sich Myrtocle, der das wiedergewonnene Augenlicht Unglück gebracht hat, sich von ihrem häßlichen, symbolisch als Kröte dargestellten Gatten abwendet, und, in Erinnerung an das Glück ihrer Blindheit, ihre Augen durch die Strahlen der Sonne blenden läßt.

EUGEN D'ALBERT
DIE TOTEN AUGEN

VOLLSTÄNDIGER KLAVIERAUSZUG MIT TEXT . . . . . . M 16,—
POTPOURRI FÜR KLAVIER MIT BEIGEFÜGTEM TEXT . M 3,—
AMOR UND PSYCHE, LIED DER MYRTOCLE . . . . . . M 1,50

ZUZÜGLICH TEUERUNGSZUSCHLAG

EIGENTUM DER VERLEGER FÜR ALLE LÄNDER — AUFFÜHRUNGSRECHT VORBEHALTEN
ED. BOTE & G. BOCK, BERLIN W. 8
GEGRÜNDET 1838

W. Helwig
«Drei alte Schachteln», Operette von Walter Kollo, Text von Hermann
Haller, Gesangstexte von Rideamus
Kollo-Verlag, Berlin 1918
Lithographie in Ocker, Grau und Schwarz
bezeichnet: W. Helwig
Drucker: Breitkopf & Härtel, Leipzig

«Drei alte Schachteln», eine Operette im volkstümlichen Milieu, machte
in einer Nebenrolle die Gesangsdarstellerin Claire Waldoff (1884–1957)
bekannt. Als Auguste mit ihrem Lied «Ach Gott – was sind die Männer
dumm» prägte sie einen unübertroffenen, herzhaft-kessen Vortragsstil.
Die von Zille oft gemalte, aus Bochum stammende Berliner Urtype war
wie geschaffen für den rauhen, pfiffig ironischen Brettl-Vortrag und
die scherzhaften Einschübe, welche die Texte von Rideamus (Pseudonym für Fritz Oliven) verlangten.

Drei alte Schachteln

Operette in einem Vorspiel und drei Akten
von Hermann Haller · Gesangstexte von Rideamus

Musik von WALTER KOLLO ·

Für Gesang und Klavier:

1. Klavierauszug mit Text . . . . . . M. 10.—no.		
2. Was nützt denn den Mädchen die		
Liebe. Marschterzett . . - 2.—		
3. Na nu geht es schon wieder so'n		
bißchen. Tanzduett . - 2.—		
4. Verblüht ist längst der Flieder.		
Lied . - 2.—		
5. Drei alte Schachteln gehn zum		
Ball. Terzett . . 2.50 -		

6. Denn Schwestern waren die Mamas.	
Duett M 2.—nu.	
7. Ein Märchenglück - ein Sommertraum.	
Lied - 2.—	
8. Es kann nicht immer Sonnenschein.	
Duett - 2.—	
9. Ach Jott, was sind die Männer dumm.	
Couplet - 2.—	

Für Klavier zweihändig:

10. Großes Potpourri . . . . . . M. 3.—no.	
11. Drei alte Schachteln. Walzer	
nach Motiven . - 3.—	
Textbuch der Gesänge M . - 70.no.	

20 % Teuerungszuschlag

Kollo-Verlag, G.m.b.H., Berlin W35, Steglitzer Str. 28.

Nachwort

Alte Notenhandschriften, die heute fast nur noch in berühmten Biblio-
theken zu besichtigen sind, bestechen oft durch ihre kunstvoll gemalten
Titelblätter, Initialen und Zierleisten, die den Rang einer Komposition
oder des vertonten Textes unterstreichen halfen. Die Erwartung, mit
einer kostbaren oder doch sorgfältig gestalteten Ausstattung besondere
Aufmerksamkeit zu erregen, konzentrierte sich auch bei gedruckten
Notenausgaben weiterhin auf das Titelblatt.

Die ersten, vor fünf Jahrhunderten im Hoch- oder Tiefdruck verviel-
fältigten Noten wurden wie die Bücher jener Zeit mit Schmucktiteln
ausgestattet. In nur geringer Auflage verlegt, wandelte sich das äußere
Erscheinungsbild des Titelblatts mit der jeweiligen Stilrichtung. Die Ge-
staltungsgeschichte des Notentitels war ja über Jahrhunderte identisch
mit der Entwicklung des Buchtitels.

Zu der Zeit, als Bücher ebenso wie Notenhefte nicht gebunden in den
Handel kamen, verschwand der eigentliche Schmucktitel, wenn der
Käufer das Buch oder Heft privat einbinden ließ, unter der Einbanddek-
ke, die allerdings selbst oftmals kunstvoll aus strukturierten Materialien
mit eingeprägten Schmuckelementen und Titelbeschriftungen gefertigt
wurde. Ab 1850, als das lithographische Druckverfahren bereits viele
Bereiche der Druckkunst erobert hatte, wurde bei Veröffentlichungen
geringeren Umfangs die Schmucktitelseite zum Titelblatt. So zählten
Noten zu den ersten Druckerzeugnissen, die eine umfassende Informa-
tion in Bild und Schrift auf einen Blick anboten und als kleine farbige
Plakate in Schaufensterauslagen auf einen Blick erfaßt werden konnten.

«Stich und Druck»

Die Schmucktitel aus der Frühzeit der lithographischen Drucktechnik –
im Unterschied zu heute ausschließlich für musikalische Neuerschei-

nungen geschaffen – waren in der Manier eines Kupferstichs mit geschwungenen Schrifttypen und gepunkteten, schraffierten Grauwerten gehalten. Diese Titel sind jedoch keine echten Stiche, sondern Umdrukke auf lithographischer Basis. Der Mangel an einem eigenständigen lithographischen Gestaltungsduktus war der eine Grund für die Ähnlichkeit dieser im Steindruck hergestellten Notentitel zu Stichen. Zum anderen stellt der Notendruck selbst von den ersten lithographischen Anfängen bis heute eine Mischung zweier Druckverfahren dar. Als erster Arbeitsgang wird ein Tiefdruck-Stich angefertigt. Die Lithographie dient dann nur noch dem Umdruck des Stiches auf das Notenpapier.

Zunächst müssen Linien und Notenzeichen mit Hilfe von Stichel und anderen Werkzeugen auf eine Metallplatte gebracht werden, wovon anschließend ein auf Papier im Tiefdruckverfahren hergestellter Stich abgezogen wird. Dieser Erstdruck dient später zur Anfertigung der im Umdruck hergestellten lithographischen Druckform. Das Druckunternehmen, das mit der Anfertigung der kompletten Notenausgabe beauftragt war, firmiert deshalb mit dem auf jedem Notenblatt anzutreffenden Vermerk: Stich und Druck (Beispiel: Stich und Druck von C. G. Röder, Leipzig).

Die frühen lithographierten Musikausgaben wurden einfarbig gedruckt. In der zweiten Hälfte des 19. Jahrhunderts kamen mit zunehmender Verbreitung der Hausmusik und wachsender Konkurrenz der Musikverlage farbig lithographierte Titelseiten in Mode. Das nachträgliche Kolorieren der Lithographien – bis dahin mit Hilfe von Schablonen wenig kunstvoll durchgeführt – wurde damit überflüssig. Da das Farbdruckverfahren dank der Erfindung der Lithographie stark vereinfacht worden war, konnte der Bedarf von farbigen Titeln nun auf dem Druckweg schnell und damit kostengünstig erfüllt werden. Auch stellte das in der graphischen Technik aufwendigere Farblitho auf die Dauer kein Hemmnis für die künstlerische Entfaltung dar. Im Gegenteil, spätestens die Jugendstilkünstler wußten die Möglichkeiten des positiven und negativen Flächendrucks kreativ zu benutzen.

Die neue Gebrauchsgraphik

Die meisten Notentitel aus der Zeit vor 1890 wiesen noch Merkmale des auch in der Buchkunst herrschenden Historismus auf. Mehrere

Schrifttypen und wenig aufeinander abgestimmte Bildelemente ließen die Titel uneinheitlich oder überladen erscheinen. Eine Vielzahl von Farb-Druckgängen, mit denen eine gemäldegleiche Wirkung erzielt werden sollte, erschwerte außerdem die künstlerische Aussagefähigkeit. Das änderte sich, als, angeregt durch Graphiken aus dem Fernen Osten und durch die Fortschritte in der Photographie, neue Sehweisen, Gestaltungsauffassungen und -techniken in der Malerei und im Kunstgewerbe sich durchzusetzen begannen, die sogleich auch für populäre Druckerzeugnisse übernommen wurden. Musiktitel zählten aufgrund ihres kleinen, leicht im Flachdruck herzustellenden Formates zu den ersten Ausgaben, die von den Reformern des Kunstgedankens in England, Frankreich und Deutschland fast gleichzeitig für die Anwendung ihrer Ideen genutzt wurden. Die Rückbesinnung und Beschränkung auf das Wesentliche in der künstlerischen Aussage fanden schließlich in der Jugendstilbewegung ihren Höhepunkt.

Für die Gebrauchsgraphik des Jugendstils besonders kennzeichnend ist, wie Bild- und Schriftelemente eines Blattes aufeinander bezogen und ineinander gefügt sind. Die Verschmelzung zu einer Einheit, ähnlich der auf den Zierseiten bestimmter Handschriften des frühen Mittelalters, wurde nun durch das drucktechnische Verfahren der Lithographie erleichtert. Eine von den technischen Voraussetzungen her unbegrenzte Höhe der Auflage kam der raschen Verbreitung der neuen Ideen graphischer Gestaltung sehr entgegen.

Kunst und Kommerz

Die neue Sichtweise der Beziehungen zwischen Kunst und Gesellschaft, von John Ruskin (1819–1900), William Morris (1834–1896), Walter Crane (1845–1915) u. a. theoretisch vorbereitet, führte dazu, daß sich die Druckkunsterneuerung des Jugendstils allgemein durchsetzte. Damit wurde auch ein moderner Werbestil eingeleitet.

Einige Verleger der ernsten wie der unterhaltenden Musik waren von Anfang an für die neue Sache zu gewinnen, ging es doch um die Erweiterung ihres Verlagsprogramms und um die expandierenden Vergnügungsbetriebe wie Revue-, Operettentheater und Kleinkunstbühnen, die in einer Zeit ohne Film, Funk und Fernsehen in kurzer Zeit eine Melodie populär machen konnten.

Um Komponisten, um zugkräftige Interpreten für deren Werke und darum, diese Werke in gedruckten Noten für die Hausmusik anzubieten oder aufzubereiten, entwickelte sich ein Konkurrenzkampf zwischen Theaterdirektoren ebenso wie zwischen Verlegern. Notenumschläge eröffneten neue Möglichkeiten, für bestimmte Titel zu werben, und so wurden die Rückseiten der Hefte schon bald für den Abdruck der Verlagsprogramme genutzt.

Die in der Epoche des Jugendstils verbreitete Anerkennung der Kunstgattung «Reklame» in ihrer sozialen Funktion ermutigte einige Gebrauchsgraphiker, sich für das einheitliche Erscheinungsbild eines Verlages einzusetzen. In diesem Zusammenhang kamen auch zeitgleiche Einsätze desselben Motivs auf Plakat und Titelblatt, besonders bei Neuankündigungen, vor. Anzeigen in Zeitungen unterstützten oftmals die neuen Produktionen.

Die vielen gut gestalteten Titel und die für Werbezwecke genutzten Notenrückseiten zeigen die enge Verflechtung von Kunst und Kommerz auf. Erstmals sorgten gleichbleibende Signets und Wortmarken als Konstanten auf Notenausgaben, Verlagsankündigungen und Bühnenprogrammen für den Bekanntheitsgrad eines Verlages mit seinem unverwechselbaren Programm. Ob Gassenhauer oder Opernarie, alle aktuellen Musikerzeugnisse konnten, wie heute Schallplatten oder Kassetten, in den zahlreichen Musikalienhandlungen erworben werden.

Da Noten häufig verliehen wurden, war die effektive Verbreitung eines Heftes größer, als es die verkauften Auflagen ausdrücken konnten. So wurden die Musikliebhaber in aller Welt mit populären und klassischen Musikausgaben sowie mit Übersetzungen anderssprachiger Gesangstexte versorgt.

Vom künstlerischen Alleingang zur Stilrichtung

Der Auftakt künstlerischer Erneuerung der Notentitelentwürfe um 1885 trug wesentlich zur Entwicklung des Jugendstils bei, auch wenn die ersten Musiktitel ohne historisierende Stilelemente durch die Freude einzelner am Experimentieren mit neuen Ausdrucksmöglichkeiten zu erklären sind. So machen Max Klingers Notentitel (S. 13, 17, 21) den Übergang vom Symbolismus zum Jugendstil deutlich. Klingers Entwürfe entsprangen der engen geistigen Verbindung des Künstlers zu Johannes Brahms. Als drittes Ausdrucksmittel kam zu Text und Musik das Bild hinzu, das einen visuellen Zugang zu dem betreffenden Musikstück ermöglichen sollte.

Eugène Grassets Notentitel zu der Komposition «Enchantement» von Massenet (S. 11) läßt sich nur so verstehen, zumal hier nicht nur der Titel des Stückes («Verzauberung») künstlerisch umgesetzt, sondern auch dessen Atmosphäre vermittelt wird.

Solche konzentrierten Lösungen waren in dieser Frühphase noch nicht allgemein durchzusetzen. Gute Werbegraphiken blieben Einzelfälle. Im Laufe eines Jahrzehnts veränderte sich jedoch die Einstellung gegenüber den neuen graphischen Ausdrucksmöglichkeiten. Aufgeschlossene Verleger hielten schließlich den Zeitpunkt für gekommen, auch weitere Kreise an den modernen Ideen teilhaben zu lassen. Mit den Zeitschriften «Jugend» und «Pan» setzte in Deutschland in der Mitte der neunziger Jahre des vorigen Jahrhunderts die für Buchgestaltung, für Gebrauchsgraphik allgemein entscheidende Wende ein. In der von Georg Hirth in München herausgegeben und von Fritz von Ostini redigierten «Jugend» steht am Beginn des redaktionellen Programms:

> Die Erwägung, dass unter den zahlreichen in Deutschland erscheinenden, illustrirten Wochenschriften sich keine einzige befindet, welche den Ideen und Bestrebungen unseres sich immer reicher gestaltenden öffentlichen Lebens in künstlerisch durchaus freier Weise gerecht wird, hat uns zu dem Versuch ermuthigt, diese offenbare Lücke unserer Zeitschriftenliteratur auszufüllen. Wir wollen die neue Wochenschrift *Jugend* nennen: damit ist eigentlich schon Alles gesagt.

Fritz Erler, ein vielseitiger Künstler, der auch einen Rahmentitel für Lieder von Richard Strauss lithographiert hat (S. 35), schuf ihr erstes Titelblatt. Mit der «Jugend» war der entscheidende Schritt vom künstlerischen Alleingang zur Gebrauchsgraphik mit all ihren sozialen Bezügen getan.

Neue Werbetheorien

In den ersten Jahren des neuen Jahrhunderts vollzog sich in den Gestaltungselementen der Notentitel ein merklicher Wandel. Unter dem Einfluß psychologisch begründeter Werbetheorien wurden neue Motive eingeführt, mit deren Hilfe die werbliche Aussage noch erfolgreicher transportiert werden sollte. Neben zumeist naturhaften Motiven der Kunstgraphik wie Lilien, Libellen und Elfen wurden nun auch Elemente des modernen Lebens wie Sport, Geschwindigkeit, Erfindungen und Film in der Gebrauchsgraphik dargestellt. Die positive Einstellung der Menschen jener Zeit gegenüber allen technischen Neuerungen und Sensationen sollte sich auch auf das Musikstück übertragen. Ein Beispiel dafür ist Paul Schneiders Notentitel «Töff-Töff»: Musik und Autofahren (S. 55).

Auch mehrfach deutbare Bildmotive entstanden, die nur noch einen losen Bezug zum eigentlichen Musikstück hatten, z. B. «Regina Gavotte» (S. 71). Ein solcher Titelschmuck sollte für den Komponisten und alle anderen Beteiligten werben. Der Betrachter sah das Einzelstück eingebunden in ein größeres Angebot, z. B. in Robert Leonards «Das muss man seh'n!» (S. 65), das ihn sowohl als Musikliebhaber als auch potentiellen Käufer ansprechen sollte.

Kurzlebige Reklamekunst

Viele Plakatkünstler im Jugendstil waren auch in anderen Bereichen der Kunst und Gestaltung tätig, so vor allem auf den Gebieten der Buch- und Notenausstattung. Sie erkannten die dem Ansehen des Künstlers abträgliche Schwäche des Plakates: seine Kurzlebigkeit. Das Plakat war mehr zum Blickfang an exponierten Plätzen und belebten Straßen geeignet, um auf Passanten die erwünschte kurzfristige Wirkung auszuüben. Im Bewußtsein, den neuen Trend in der Gebrauchsgraphik und damit auch den Werbeerfolg zu stärken, wurden in Paris vor 1900 bereits von Jules Chéret und anderen Plakate auch speziell für Sammler gedruckt. Problematisch blieb jedoch deren unhandliches Format. Um dies zu umgehen und weitere Interessenten für das Sammeln von Plakaten zu gewinnen, wurden in den Jahren von 1896 bis 1900 unter dem Motto «Les Maîtres de L'Affiche» sogar Verkleinerungen im Abonnement angeboten.

Damit sollte das Ergebnis mühevoller kreativer und handwerklicher Arbeit – über die kurzzeitige Verwendung als Plakat hinaus – längerfristige Beachtung gesichert werden. Doch die lithographierten verkleinerten Plakate entbehrten der Authentizität. So nimmt es nicht wunder, daß sich teilweise dieselben Künstler auch echten «Kleinaffichen», wie Buchumschlägen und Musiktiteln, zuwandten. Für die primäre Bestimmung als Gebrauchsgraphik – und nicht etwa für den Sammler – geschaffen, fanden solche Entwürfe in der Regel über Jahre hinweg Verwendung.

Verhältnismäßig viele Musiktitel aus der Zeit vor dem Ersten Weltkrieg haben in privaten Notenbeständen Jahrzehnte überdauert und werden heute auch im Antiquariatshandel angeboten.

Musikbetrieb und Musikverlage

Erste Grammophone, Musikautomaten und selbstspielende Klaviere ermöglichten auch den nicht aktiv Musizierenden über die Musikkonserve ein jederzeitiges Wiederholen von bekannten und beliebten Melodien. Doch waren Notenhefte für mechanische Musikwiedergabetechniken zur Herstellung von Walzen usw. unentbehrlich.

Die in bedeutenden Musikzentren wie Berlin und Wien etablierten Verleger versorgten die Provinz mit den neuesten Kompositionen. Internationale Kontakte nahmen die Auslandsbüros der deutschsprachigen Verlage wahr. Umgekehrt richteten englische, amerikanische, französische und italienische Musikverleger ihre Vertriebs- und Kontaktstellen in Berlin, Hamburg, Leipzig oder Wien ein.

Musik erreichte die sogenannten Zaungäste ebenso wie die Besucher von Kaffeehaus, Kurkonzert und Revuetheater. Theodor Wolf gibt in seinem Buch «Krieg des Pontius Pilatus» (1934) eine stimmungsvolle Schilderung von Tanz und Mode der Salonkultur in der Zeit vor dem Ersten Weltkrieg:

Plötzlich wurde überall getanzt, in Hotelhallen, Cafés, Bars und «Dielen», in den Gärten, auf den Dächern und auf dem Schiffsdeck, und der Tanz gehörte schon nachmittags zum Tee, drängte sich sogar in die konservativen Pariser Restaurants ein und raste über noch andere Traditionen hinweg. Nach One-Step und Two-Step war das Wunder Tango gekommen. Die Jungen und auch die Alten gaben sich entzückt dem Studium der exotischen Grazie hin. Um den Damen, die sich damals noch nicht durch Sport und Nahrungseinschränkungen die schlanke Linie erworben hatten und auch noch nicht mit abgeschnittenem Haar Penthesileen an stählerner Männlichkeit übertrumpften, die neuen Tanzschritte zu erleichtern, wurden merkwürdige, ungewöhnliche Moden erdacht. Die Kleider waren noch lang und umhüllten wie schwere Decken den Altar und die heiligen Geräte, aber eines Tages gab man ihnen in der Mitte einen Schlitz, spaltete sie wie Hosen, und allmählich öffnete man sie seitwärts, wo nun bei jeder Bewegung und jedem Luftzug der Blick ins Freie gestattet war.

Vielfalt der Notenausgaben

Nicht nur erfolgreiche Mode-Neuheiten, auch schlagkräftige, eingängige Melodien wurden nach 1900 als «Schlager» bezeichnet; bekannt wurden diese in erster Linie durch die vielen Salonorchester. Je nach Anzahl der Musiker und der Instrumente wurde zwischen Salonorchestern in Wiener, Berliner und Pariser Besetzung mit jeweils eigenen Notenausgaben unterschieden. Auf dem Klaviertrio aufbauend (Klavier, Violine, Violoncello), hatte die Berliner Besetzung die größte Zahl an Musikern (zehn bis zwölf Instrumente), das Wiener Salonorchester spielte ohne Holzblasinstrumente (fünf bis zehn Instrumente). Die Pariser Besetzung war besonders für intime musikalische Anlässe geeignet (fünf bis sieben Instrumente) und verwendete später auch das Akkordeon. Im allgemeinen waren gesungene Lieder dem Instrumentalvortrag untergeordnet. Weitbekannte Stars waren, abgesehen von Bühneninterpreten, selten. Gesangstexte wurden von einem der Musiker vorgetragen.

Häufig sind verschiedene Stücke einer Operette oder Revue in unterschiedlichen Instrumentierungen und verschiedenen Stimmlagen mit dem gleichen Titelbild angeboten worden. In einem listenartigen Aufdruck aller Ausgaben konnte dann die dem Inhalt entsprechende Zeile unterstrichen werden. Manche Notenausgaben für Klavier erreichten vor 1914 bereits in wenigen Monaten Millionenauflagen. Sicherlich trugen auch graphisch gestaltete Titelbilder zum Erfolg eines Stückes bei.

Nicht alle Notenausgaben für die Unterhaltungsmusik erhielten jedoch werbewirksame Titel. Bei ungefähr der Hälfte aller neuen Ausgaben begnügten sich die Verleger mit einfach gestalteten Schrifttitelblättern. Im Bereich der ernsten Musik war etwa ein Zehntel aller Ausgaben von Neuerscheinungen mit eigens entworfenen Schmucktiteln ausgestattet.

Im Jugendstil diente erstmals das zweckgebundene künstlerische Mittel der Gestaltung des Titelblatts zur Verbreitung musikalischer Werke. In den letzten Jahrzehnten unseres Jahrhunderts haben Schallplattenhüllen diese Funktion weitgehend übernommen. Aber auch Notentitel weisen noch vereinzelt von Bühnenbildnern, Künstlern und Graphikern gestaltete Ausstattungen auf, wenn auch niemals die Auflagenhöhen der Glanzzeit von 1900 bis 1930 erreicht werden.

Register

1. Personen

Albers, Hans   100
d'Albert, Eugen   60, 134
Alberts, O. A.   84
Alexis, Willibald   16
Arnaud, Viktor   132
Arnold, Franz   132

Bach, Ernst   132
Báron, Rudolf   94
Bassewitz, Gerdt von   118
Bauer, Anny   124
Baynes, Sydney   128
Bendiner, Josef   94
Bierbaum, Otto Julius   40
Blomé, Arnold   86
Böcklin, Arnold   12
Bombach   128
Botsford, George   90
Brahms, Johannes   12, 16, 20
Brandenburg, Martin   132

Capua, Eduardo di   22
Capurro, Giovanni   22
Caruso, Enrico   22
Chéret, Jules   144
Cobb, William D.   72
Comer, David   122
Corinth, Lovis   132
Crane, Walter   141

Daumer, Friedrich   12
Delvard, Marya   30
Deutsch, Ernst   90
Diefenbach, Wilhelm   36
Drigo, Richard   76

Edel, Edmund   40
Erler, Fritz   34, 143
Ertl, Dominik   26
Ewers, Hanns Heinz   134
Ewers-Wunderwald, Ilna   134

Fabro, Othmar   58
Fall, Leo   58, 102
Faust, Carl   50
Fidus, s. Hugo Höppener
Fitzner, W.   60
Flynn, John H.   72
Fodor, Janos   36
Freund, Julius   32, 38, 44, 62, 64
Fritsch, Hans   116

Gilbert, Jean, s. Max Winterfeld
Gillot, Firmin   10
Grasset, Eugène   10, 143
Gruner, Erich   98
Guttmann, Arthur   44

Haller, Hermann   126, 136
Heine, Heinrich   12
Helwig, W.   136
Hirth, Georg   143

Höppener, Hugo (Fidus) 36
Hollaender, Victor 32, 38, 44, 64,
   106
Humperdinck, Engelbert 18

Jacobi, Victor 96

Käutner, Helmut 100
Keller, Alfred 80
Kerker, Gustav 62
Kippenberg, Anton 28
Kirchner, Ernst Ludwig 86
Klinger, Julius 94
Klinger, Max 12, 16, 20, 142
Kollo, Walter 74, 84, 106, 126, 136
Kraatz, Kurt 104
Kren, Jean 104, 106
Kühne, A. 88

Lederer, Ernst 78
Lehár, Franz 98
Leonard, Robert 64, 144
Lincke, Paul 106, 110
Linka, Camillo 56

Marx, Carl 130
Marx, Joseph 80
Massary, Fritzi 44
Massenet, Jules 10
Meisenbach, Georg 62
Mills, Kerry 42, 66
Mörike, Eduard 80
Morena, Camillo 54
Morris, William 141
Müller-Förster, Alfred 94

Nelson, Rudolph 82, 106

Okonkowsky, G. 92
Oliven, Fritz (Rideamus) 136
Ostini, Fritz von 143

Pordes-Milo 126
Preil, Paul 120
Pschorr, Johanna 14

Reger, Max 28
Rettig, Heinrich 14
Rideamus, s. Fritz Oliven
Roberts, Ralph Arthur 100
Rodriguez 108
Rotter, Ernst 24
Ruelle, Jules 10
Rupprecht, Theo 52
Ruskin, John 141

Schack, Adolf Friedrich von 14
Schmalstich, Clemens 118
Schneider, Paul 44, 50,
   54, 72, 110, 144
Schönfeld, Alfred 92, 104, 106
Schulz, Gerhard 46
Seifert, Erich 120
Sotthol, F. 56
Sternfeld, Egon 124
Stolz, Robert 114, 124
Straus, Oskar 40
Strauss, Richard 17, 34, 46

Telemann, Paul 30, 62, 74, 82, 84, 88,
   92, 96, 102, 108, 112, 118, 120, 126
Thielscher, Guido 64
Tiffany, Louis Comfort 24
Tilke, Max Karl 46

Vigny, Benno 114
Vigny, D. 86
Villoldo, A. G. 108

Wagner, Friedrich 88
Waldau, Harry 112
Waldoff, Claire 136
Weber, Otto 78

Wedekind, Frank   30, 40
Weiss, Emil Rudolf   28
Wenzel, Hermann   70
Wertheim, Leopold   124
Wilde, Oscar   46
Winterfeld, Max (Jean Gilbert)   92,
    104, 106, 132
Wolf, Theodor   145 f.
Wolff, Willi   126
Wolf-Ferrari, Ermanno   48
Wolzogen, Ernst von   30, 40
Worsley, Cliffton   68

Xiró   68

Zille, Heinrich   136

2. Verlage

Apollo-Verlag, Berlin   110
Anton J. Benjamin, Hamburg
    50, 56, 78
Bideri, Neapel   22
Richard Birnbach, Berlin   88, 118
Bosworth & Co., Leipzig (London)
    86, 90, 124
Ed. Bote & G. Bock, Berlin   44, 60,
    62, 64, 134
Bühnenverlag Ahn & Simrock, Berlin
    92
Chappell & Co., London   72
Dessy S. en C., Barcelona   68
Drei-Masken-Verlag, Berlin und
    München (später München-Berlin)
    112, 126, 132
B. Feldmann & Co., London   122
Adolph Fürstner, Berlin (Paris)
    34, 46

Harmonie-Verlag und Drei-Masken-
    Verlag, München   102
Heugel & Cie, Paris   10
Georg Hirth's Verlag, München   143
Joh. Hoffmann's Wwe., Prag   26
Otto Junne, Leipzig   108
Kollo-Verlag, Berlin   136
Heinrich Kreisler & Co., Hamburg
    100
Lauterbach und Kuhn, Leipzig   28
Alfred Michow, Charlottenburg
    (Berlin)   36
Louis Oertel, Hannover   94
Fr. Portius, Leipzig   24, 70
D. Rather, Leipzig (Hamburg)   14, 48
Gustav Richter, Leipzig   130
Adolf Robitschek, Wien   114
C. M. Roehr, Berlin   42, 66
Rózsavölgyi & Co., Budapest und
    Leipzig   96
Carl Rühle's Musik-Verlag, Leipzig
    116
B. Schott's Söhne, Mainz   18
Leopold Schroeder, Berlin   52
Schuberthaus-Verlag, Wien und
    Leipzig   80
C. F. W. Siegel's Musikalienhandlung,
    Leipzig   98
N. Simrock, Berlin   12, 16, 20
Swan & Co., London   128
Otto Teich, Leipzig   120
Thalia-Theater-Verlag, Berlin
    104, 106
Theaterverlag Eduard Bloch, Berlin
    40
Verlag Harmonie, Berlin (Theater an
    der Wien, Wien)   30, 32, 38, 54, 58,
    74, 82, 84
J. H. Zimmermann, Leipzig   76

3. Druckereien

Berliner Musikalien Druckerei, Berlin
52, 66, 104, 106, 118
Oscar Brandstetter, Leipzig
28, 134
Breitkopf & Härtel, Leipzig
126, 132, 136
Gillot 10
Hollerbaum & Schmidt, Berlin 94
Lit. Barral, Barña 68

Lit. v. F. M. Geidel, Leipzig 78, 82,
108, 120, 130
Lith. Anst. v. E. & C. Paris, Berlin 40
Lith. Anst. v. C. G. Röder (Röder'sche
Offizin, Leipzig), Leipzig, auch Bu-
dapest 12–16, 20, 24, 26, 30, 34,
44, 46, 50, 54, 56, 62, 64, 70, 72, 76,
84, 92, 96, 102, 110–114, 140
Notendruckerei Paris & Co., Berlin
32, 38, 40, 58
Christoph Reisser's Söhne, Wien 80
Dr. Rokotnitz, Berlin 128